Collection
PROFI
dirigée par C

Série
PROFI

Britannicus

(1669)

RACINE

Résumé
Personnages
Thèmes

LAURENCE LÉVY-DELPLA
agrégée de lettres modernes

HATIER

Sommaire

ISSN 0750-2516 ISBN 2-218-**04200-2**

1 La vie de Jean Racine

La vie de Jean Racine donne lieu à des interprétations contradictoires. Certains, à la suite de Louis Racine, auteur d'une biographie de son père, voient dans le dramaturge un homme touché par la grâce divine après une vie de débauches. A l'inverse, dans *la Carrière de Jean Racine*[1], l'universitaire Raymond Picard s'est attaché à le dépeindre dévoré d'ambition, peu soucieux de religion, uniquement préoccupé d'accroître sa fortune et de parvenir dans la société.

Les rumeurs les plus sombres courent au sujet de cette vie. Un mariage secret avec une comédienne. Une accusation d'empoisonnement. Des soupçons de jalousie et de cruauté. Des questions se posent, sans réponses. Pourquoi Racine a-t-il brusquement cessé d'écrire pour le théâtre ? Était-il redevenu un chrétien fervent ? Avait-il créé ses personnages — odieux, passionnés, meurtriers... — à son image ?

Faute de pouvoir trancher en connaissance de cause, voyons les faits avérés.

LES TRENTE PREMIÈRES ANNÉES (1639-1669)

Jean Racine est baptisé à La Ferté-Milon le 22 décembre 1639. Il perd sa mère en 1641, puis son père en 1643. Le voici orphelin avec des dettes pour tout héritage. Il est recueilli peu après par sa grand-mère paternelle, Marie Desmoulins.

Cette femme est animée d'une foi empreinte de jansénisme. Le jansénisme, ainsi appelé parce qu'il est issu des thèses d'un théologien hollandais du nom de Jansénius

1. Cf. Bibliographie, p. 77.

(1585-1638), est une doctrine qui, à l'intérieur du catholicisme, infléchit la religion vers le pessimisme et l'austérité. L'homme, en proie au péché, se débat dans un monde mauvais et ne peut rien pour se sauver si Dieu lui refuse sa grâce. Cette doctrine a un foyer, l'abbaye de Port-Royal des Champs. Marie Desmoulins s'y retirera et une de ses filles en deviendra l'abbesse.

C'est dans ce milieu marqué par une piété fervente qu'est élevé Jean Racine. Il fait ses études à Port-Royal même et dans des établissements qui appartiennent à la mouvance janséniste (1649-1658).

Racine écrit à vingt et un ans une ode en l'honneur du mariage de Louis XIV et semble envisager une carrière dans le monde des Lettres. Pourtant, il se rend ensuite auprès de l'un de ses parents, le chanoine Sconin, dans la ville d'Uzès, afin d'obtenir un bénéfice ecclésiastique, c'est-à-dire un revenu attaché à une fonction dans l'Église.

La littérature l'emporte. Racine regagne Paris. En 1664 (il a vingt-cinq ans), il fait représenter une pièce de théâtre, *La Thébaïde* ou *les Frères ennemis.* L'année suivante, il donne, avec un vif succès, sa tragédie *Alexandre le Grand.* En 1667 est jouée *Andromaque,* la première pièce que la critique contemporaine considère comme véritablement réussie.

DE « BRITANNICUS » A « PHÈDRE » (1669-1677)

En 1669, à trente ans, après trois pièces dont les sujets sont empruntés au monde grec, Racine est prêt à affronter sur son propre terrain, l'histoire romaine, son aîné Corneille, unanimement reconnu à son époque comme le plus grand auteur dramatique. Avec *Britannicus,* fondé sur l'œuvre de l'historien latin Tacite, il engage le combat contre son rival vieillissant, mais l'accueil réservé à la pièce est mitigé. Par la suite, toutefois, avec l'appui du roi, elle s'imposera.

En 1668, Racine donne *Les Plaideurs,* une comédie. Les pièces qui suivent, *Bérénice* en 1670, *Bajazet* en 1672, *Mithridate* en 1673, *Iphigénie* en 1674 et *Phèdre* en 1677, rencontrent parfois le succès, parfois l'échec et les cabales.

HISTORIOGRAPHE DU ROI (1677-1699)

En 1677, alors qu'il a trente-huit ans, Racine est nommé historiographe du roi, ce qui veut dire qu'il est chargé d'écrire l'histoire du règne de Louis XIV. Cette même année, il se marie avec une jeune fille pieuse et de bonne naissance, dont il aura sept enfants. Quatre de ses filles deviendront religieuses.

Racine cesse d'écrire pour le théâtre. Il se consacre avec sérieux à sa tâche d'historiographe, suivant le roi dans ses campagnes militaires, accumulant les notes. Devenu courtisan, il reçoit de nombreuses marques de faveur. Il obtient en 1690 une charge de gentilhomme ordinaire. Éclatante réussite pour un orphelin sans fortune.

Il se distingue à la cour par sa grande piété. Quand il écrit *Esther* (1689) et *Athalie* (1691), c'est à la demande de Madame de Maintenon, l'influente épouse du roi. Ces pièces sont jouées par les demoiselles de Saint-Cyr et, avec leur sujet emprunté à la Bible, elle sont conçues pour édifier et instruire.

Racine meurt à l'âge de cinquante-neuf ans le 21 avril 1699. Il laisse une importante fortune. Il a demandé à être enterré à l'abbaye de Port-Royal au pied de la tombe de l'un de ses anciens maîtres jansénistes.

Petit lexique de l'époque de Néron 2

Adoption

L'adoption est courante chez les Romains : elle est liée à l'importance des pratiques religieuses familiales. Ces cultes sont célébrés par le père de famille, puis, à sa mort, par son fils. S'il n'y a pas de fils, le père en adopte un. L'enfant prend alors le nom de sa nouvelle famille. Ainsi, quand le jeune Domitius, fils d'Agrippine et de Domitius Ahenobarbus, est adopté par l'empereur Claude, il s'appelle désormais Néron.

Sous l'empire, la procédure de l'adoption permet à l'empereur de désigner son successeur. Lorsque Claude, qui a déjà un fils (Britannicus), adopte Néron, il indique qu'il laisse l'empire à ce dernier.

Affranchi

Deux affranchis de l'empereur Claude apparaissent dans *Britannicus*, Pallas, dont on parle, et Narcisse, qui joue un rôle essentiel.

Lorsque le propriétaire d'un esclave lui donne la liberté, on dit qu'il l'affranchit. L'affranchi reste tenu à certaines obligations envers son patron. Il acquiert le droit de propriété et le droit de vote, mais ne bénéficie pas pleinement de la citoyenneté romaine.

Sous l'empire, certains affranchis de l'empereur occupent au sommet de l'État des positions importantes. La confiance que le souverain place en eux leur permet de jouer le rôle de véritables ministres.

Annales de Tacite

Les *Annales* de Tacite retracent l'histoire de Rome de la mort d'Auguste à celle de Néron. Il n'en subsiste que des fragments. Tacite, haut fonctionnaire du régime impérial, vécut au

Ier siècle après Jésus-Christ. Du fait de sa position, il avait accès à une riche documentation. Il n'aborda l'histoire qu'assez tard et adopta un point de vue de moraliste pessimiste, attristé par la décadence. Il affina la peinture psychologique des personnages qu'il décrivait. Racine dit de lui qu'il fut « le plus grand peintre de l'Antiquité ».

L'auteur, dans *Britannicus*, se montre fidèle aux *Annales* au point d'en restituer, en vers, des passages entiers. Mais cela ne l'empêche pas de faire également preuve d'une grande liberté vis-à-vis de ses sources : il invente le personnage de Junie, vieillit Britannicus de quelques années, accorde à Narcisse de vivre plus longtemps qu'il n'a vécu en réalité... Il est en cela représentatif des auteurs de son temps, qui vont chercher dans l'Histoire grands sujets, noblesse, motifs de haute politique, êtres d'exception, mais ne se privent pas, quand ils le jugent utile, d'inventer et d'ajouter.

Armée, légions, cohortes prétoriennes

C'est grâce à l'armée que Jules César établit son pouvoir et qu'Auguste mit en place l'empire (Ier siècle avant Jésus-Christ). Bientôt, ce sont les légions (unités de 6000 hommes environ), ainsi que les défaites et les victoires militaires, qui font et défont les empereurs. Néron lui-même sera contraint au suicide par un soulèvement de l'armée.

Les cohortes prétoriennes sont la garde personnelle de l'empereur. Corps d'élite cantonné à Rome, elles acquièrent une importance considérable dans la proclamation des empereurs. L'empereur Claude eut soin de se les concilier par des dons d'argent. Agrippine fit acclamer par elles son fils Néron, après avoir pris la précaution de placer à leur tête un homme qui lui était dévoué, Burrhus.

César

Le nom des Romains se décompose de la manière suivante : prénom, nom de la famille, surnom. A l'origine, César était le surnom personnel de Caïus Julius. Lorsque Auguste, son fils adoptif, fonda la dynastie impériale, ce surnom devint l'appellation des empereurs.

Dans *Britannicus*, le terme de César désigne l'empereur régnant, c'est-à-dire Néron.

Divorce

Narcisse conseille à Néron, dans *Britannicus*, de divorcer d'Octavie. En effet, le divorce existe chez les Romains. Sous l'empire, l'un ou l'autre époux peut le demander, l'obtenir et se remarier aussitôt.

Repères historiques

Les premiers Césars furent Auguste, qui fonda l'empire et régna de 27 avant Jésus-Christ à 14 après Jésus-Christ, Tibère (14-37), Caligula (37-41), Claude (41-54), puis Néron (54-68), tous unis par des liens de parenté.

Claude fut proclamé empereur à la mort de son neveu Caligula. Il était, semble-t-il, érudit — Tacite souligne qu'il se piquait d'écrire et qu'il introduisit de nouveaux caractères dans l'alphabet latin —, mais également d'un caractère faible. Il fut le jouet de ses femmes successives et de ses affranchis, Pallas et Narcisse.

Bafoué par Messaline, qui, sans être divorcée de lui, s'était mariée avec un de ses amants, il consentit à la faire mourir. Il épousa alors Agrippine, sa propre nièce. Celle-ci le poussa à évincer le fils qu'il avait eu de Messaline, Britannicus, et à lui préférer comme successeur le fils de son premier mariage, Néron. Selon Tacite, Claude fut assassiné sur les ordres d'Agrippine. Néron lui succéda.

Les historiens latins distinguent plusieurs phases dans le règne de Néron. Les premiers temps furent marqués par des mesures sages, inspirées sans doute par ses conseillers, Sénèque le philosophe et Burrhus. Il y eut ensuite l'assassinat de Britannicus en 55 et celui d'Agrippine en 59. Burrhus mourut en 62 et Sénèque se retira. Tout bascula dans un despotisme sanglant et une suite d'extravagances et de débauches. La noblesse romaine chercha alors à éliminer Néron et fomenta un complot, resté dans l'histoire sous l'appellation de « Conjuration de Pison ». Ce complot fut déjoué. Sénèque, qui était impliqué, dut se suicider sur les ordres de l'empereur. C'est un soulèvement de l'armée qui chassa Néron de Rome et le contraignit à se tuer en 68.

Britannicus, la tragédie de Racine, montre Néron au moment où, secouant le joug de sa mère et celui de Burrhus son précepteur, il découvre sa véritable nature ; le moment où naît le « monstre ».

Sénat

Centre du gouvernement sous la République, le Sénat tend sous l'empire à perdre toute importance réelle.

Succession

Britannicus hésite entre deux conceptions de la succession. Si l'on a dans l'esprit la succession telle qu'elle existe dans la France de Louis XIV, le fils du roi succède à son père. Britannicus, fils de l'empereur Claude, est alors le seul prince légitime et Néron un usurpateur. Mais pour les Romains, même si Tacite mentionne un sentiment populaire en faveur de Britannicus, Néron, adopté par Claude, désigné par le testament de celui-ci comme son successeur, est bien le souverain légitime.

Succession dans la France de Louis XIV, succession dans la Rome impériale, légalité et mouvement populaire, tout cela crée une ambiguïté qui pèse sur la pièce. Qui est le prince légitime ? Britannicus, qui est écarté du pouvoir ? Néron, le souverain régnant ?

Vesta, vestales

Le temple de Vesta apparaît, dans *Britannicus*, comme un refuge, l'équivalent d'un couvent chrétien, où Junie, la jeune princesse que Néron poursuit de ses assiduités, court se réfugier.

Dans la Rome antique, les Vestales, au nombre de sept et choisies parmi les jeunes filles de la noblesse, étaient les prêtresses de la déesse Vesta, gardienne du feu du foyer domestique. Elles étaient chargées d'entretenir le foyer de la Cité. Elles devaient respecter des obligations de chasteté et d'ascétisme. Toute défaillance était punie de mort : une Vestale prise en faute était enterrée vivante.

Analyse de *Britannicus* 3

ACTE I (AGRIPPINE BAFOUÉE)

Scène 1 : Il fait encore nuit. Agrippine arrive devant la porte des appartements privés de son fils, l'empereur Néron. Elle favorisait le projet de mariage entre deux jeunes gens, Britannicus et Junie. Or, malgré cela, l'empereur vient de faire arrêter la jeune fille. Agrippine sent son pouvoir menacé.

A la mort de son père l'empereur Claude, Britannicus aurait dû devenir lui-même empereur. Mais Agrippine est intervenue. Épousant Claude en troisièmes noces, elle a tant et si bien manœuvré que c'est son propre fils d'un premier lit, Néron, qui a succédé à Claude. Son fils lui doit tout. Mais il se montre bien ingrat. Alors Agrippine s'est rapprochée de Britannicus.

Agrippine a perdu de son influence sur son fils, elle le voit à de nombreux signes. Elle ne peut même plus obtenir d'audience privée avec lui. Les responsables de cette situation ? Sénèque et Burrhus, les deux précepteurs qu'elle-même a choisis pour Néron. C'est du moins ce qu'elle croit.

En attendant ainsi, devant la porte de son fils, Agrippine compte, grâce à une entrevue inopinée, regagner l'emprise qu'elle a sur lui.

Scène 2 : Burrhus sort de chez l'empereur. Il annonce à Agrippine qu'elle ne sera pas reçue et cherche à se retirer. Agrippine le provoque, lui rappelle qu'il lui doit sa position auprès de Néron, lui reproche de tenir l'empereur sous sa tutelle et de l'éloigner d'elle.

Burrhus justifie tout. Néron n'obéit plus à sa mère ? « Ce n'est plus votre fils, c'est le maître du monde » (v. 180). Il gouverne sagement. L'enlèvement de Junie ? La jeune fille représente un danger politique : « Vous savez que les droits qu'elle porte avec elle / Peuvent de son époux faire un prince rebelle » (v. 239-240). Sur les droits de Junie au trône le spectateur n'en apprendra pas davantage. Il comprend simplement que si elle épouse Britannicus, elle renforce la position de celui-ci et, du même coup, affaiblit celle de Néron.

Agrippine tempête et menace. Burrhus lui conseille la prudence. Pourtant, à la fin de l'entretien, le précepteur laisse transparaître qu'il n'a pas pris part à la décision d'enlever Junie.

Deux scènes d'exposition. Avec l'enlèvement de Junie, Néron est entré en guerre contre sa mère. C'est du moins ce qu'Agrippine a compris, quoi qu'on lui en dise. Entre Agrippine et Néron se trouvent deux innocents : un jeune prince dépossédé de son trône, Britannicus, et celle qu'il aime, Junie.

Scène 3 : Britannicus survient et se plaint de l'enlèvement de Junie. Agrippine lui promet son appui et lui fixe rendez-vous chez Pallas, un affranchi qui est son soutien.

Signe de l'échec d'Agripppine : elle quitte la scène sans être parvenue à voir Néron.

Scène 4 : Britannicus, resté seul avec son confident Narcisse, révèle qu'il doute de l'aide d'Agrippine. Ne lui a-t-elle pas fait perdre l'empire ? N'aurait-elle pas assassiné son père, l'empereur Claude ?

Narcisse lui conseille pourtant de s'allier avec Agrippine. Il le pousse également à se révolter contre le sort qui est le sien — c'est-à-dire à chercher à conquérir le trône.

Mais Britannicus est seul, abandonné de tous, entouré d'espions, et n'a guère confiance qu'en Narcisse. Il ne lui reste qu'à jouer sur le dépit d'Agrippine pour essayer de lutter contre Néron.

Britannicus est démuni face à l'empereur Néron. Il n'a toutefois pas renoncé au trône. Il constitue bien une menace pour le pouvoir en place.

ACTE II (NÉRON AMOUREUX)

Scène 1 : Néron apparaît. Il a appris, durant l'entracte, que les factieux que sont Agrippine et Britannicus se retrouvent dans les appartements de Pallas, et il sévit ; il envoie l'affranchi en exil.

La première apparition de Néron souligne son pouvoir. Il est entouré de sa garde. Il est bien informé. Il sait punir la rébellion avant qu'elle n'ait eu le temps de se déclarer.

Scène 2 : Narcisse, seul avec Néron, se révèle sous son vrai jour. Il sert Néron et trahit Britannicus. Il est même le confident de l'empereur.

Néron fait le récit de l'arrivée de Junie au palais, en pleine nuit. Il est tombé amoureux de sa victime qu'il n'avait encore jamais vue.

Apparemment, si Néron a ordonné l'enlèvement de Junie, c'est par pure politique. Il ne la connaissait pas. Il semble à peine savoir que Britannicus l'aime. Lorsqu'il apprend de Narcisse que Junie aime également Britannicus, il se fait menaçant (« Néron impunément ne sera pas jaloux », v. 445). Mais Narcisse lui assure que la jeune fille ne résistera pas à sa passion. N'est-il pas l'empereur ?

Néron s'inquiète des oppositions que va rencontrer son amour. Il est marié à Octavie, la fille de l'empereur Claude, la sœur de Britannicus. Il n'aime pas sa femme et, d'ailleurs, elle ne lui a pas donné d'enfants. Mais la répudier serait renoncer à la réputation de vertu qu'il s'est faite depuis qu'il est sur le trône. Narcisse conseille le divorce. Peu importe si Néron encourt les reproches d'Agrippine : « N'êtes-vous pas, Seigneur, votre maître et le sien ? » (v. 490). Néron avoue qu'il résiste mal à l'emprise de sa mère. Il n'y parvient que lorsqu'il ne la voit pas. C'est pour cela qu'il la fuit.

Décision de Néron : il laissera Britannicus rencontrer Junie. Narcisse, qui portera cette nouvelle au jeune prince, aura l'air d'être un serviteur fidèle.

Scène 3 : Néron et Junie sont face à face. Junie confirme à l'empereur que Britannicus l'aime. Il est en cela fidèle aux vœux de son père, qui avait fait le projet de marier les jeunes gens. Et Agrippine favorise également cette alliance.

Néron souhaite lui-même épouser Junie. Il annonce qu'il répudiera Octavie. Junie exprime sa surprise. Elle vient d'être arrêtée « comme une criminelle » (v. 605) et Néron lui propose le mariage ? Elle finit par avouer qu'elle aime Britannicus, qui est seul, qui a besoin d'elle. Néron se dévoile alors : il va la laisser rencontrer Britannicus, mais elle ne doit exprimer à son égard qu'indifférence, sinon le jeune prince sera banni.

Scènes 4 et 5 : Néron se retire avec cette menace. Junie tente de faire avertir Britannicus du jeu qu'elle va devoir jouer, et, ironie, c'est Narcisse qu'elle sollicite. Mais Britannicus fait son entrée sans qu'elle ait eu le temps de le prévenir.

Scène 6 : Tandis que Britannicus exprime sa joie de revoir Junie, celle-ci l'accueille avec froideur (« Quelle glace ! » v. 707). Le jeune prince ne comprend rien à la situation. En présence de Narcisse, avec Néron, non loin, qui épie, il dit naïvement : « Parlez. Nous sommes seuls » (v. 709). Junie veut le mettre en garde et évoque la toute-puissance de l'empereur. Britannicus n'en confie pas moins ses espoirs. Tous ne l'ont pas abandonné ; il a également le soutien d'Agrippine. Junie le reprend, affirmant qu'il s'est toujours montré loyal envers Néron. Britannicus croit qu'il n'est plus aimé. Il se retire à la demande de Junie qui annonce l'arrivée de l'empereur.

Scène 7 : Junie refuse de parler à Néron.

Scène 8 : Néron révèle à Narcisse le plaisir qu'il prend à persécuter Britannicus.

Narcisse, demeuré seul, déclare qu'il va s'attacher à perdre Junie et Britannicus.

Néron est la figure dominante de l'acte II. Excepté la première scène où il exile Pallas, il ne semble exister que dans l'ordre de la vie privée. C'est Néron amoureux, c'est Néron fils malheureux. Infantile, sadique, il est bien ce « monstre naissant » dont Racine parle dans les *Préfaces* de sa pièce.

ACTE III (BRITANNICUS MENACÉ)

Scène 1 : Burrhus reproche à Néron son amour pour Junie. L'empereur lui répond qu'il ne peut contrôler ses sentiments.

Scène 2 : Demeuré seul, Burrhus s'inquiète de la cruauté de Néron et songe à faire alliance avec Agrippine.

Scène 3 : Agrippine survient. Elle se plaint de l'exil de Pallas, de l'enlèvement de Junie. Comme Burrhus tente de l'apaiser, elle éclate en menaces. Elle est prête à aller devant l'armée dénoncer ses propres crimes et présenter Britannicus comme le seul empereur légitime.

Burrhus rétorque que le pouvoir de Néron est parfaitement légitime. Le jeune homme a été adopté par l'empereur Claude qui a fait de lui son héritier.

Scène 4 : La confidente d'Agrippine, Albine, s'alarme : celle-ci a franchi les limites à ne pas dépasser avec des discours ouvertement rebelles. Agrippine n'en continue pas moins d'exhaler sa douleur de se voir chassée du pouvoir. L'amour de Néron pour Junie lui donne une rivale. Elle souffre.

Scène 5 : Agrippine, qui se déclarait capable de tout, frémit pourtant lorsque Britannicus lui annonce qu'il dispose d'un parti important au Sénat. Le jeune prince la trouve « irrésolu(e) » (v. 909). Mais elle l'assure une fois encore de son soutien.

Scène 6 : Les informations dont Britannicus vient de faire part à Agrippine sont sujettes à caution : le jeune prince les tient de Narcisse. Or Narcisse, le spectateur le sait, trompe Britannicus. Il essaie d'ailleurs de le dissuader de chercher à voir Junie qui, dit-il, aime à présent Néron.

Mais Junie survient.

Scène 7 : Tandis que Narcisse court avertir Néron que les deux jeunes gens sont réunis, Junie parvient à dissiper le malentendu. Britannicus tombe à ses genoux pour lui demander pardon d'avoir douté d'elle.

Scène 8 : Néron met fin à ce tête-à-tête. Lui-même et Britannicus se retrouvent face à face : la victime et son bourreau, le factieux et l'empereur, le prince spolié et l'homme au pouvoir. L'opposition entre les deux hommes éclate dans un dialogue vers à vers et culmine avec l'arrestation de Britannicus, que Junie ne parvient pas à empêcher.

Scène 9 : Néron comprend que sa mère, qui l'avait retenu, voulait permettre à Junie de retrouver Britannicus. Il ordonne qu'elle aussi soit placée sous surveillance, malgré les protestations de Burrhus.

C'est un Néron personnage privé qui est montré ici encore. Amoureux bafoué, il utilise son pouvoir d'empereur à seule fin d'assurer sa vengeance.

ACTE IV (NÉRON CONTRE AGRIPPINE)

Scène 1 : Burrhus annonce à Agrippine qu'elle va être reçue par Néron et lui conseille d'abandonner son attitude belliqueuse.

Scène 2 : Agrippine et Néron se trouvent face à face pour la première fois sur scène. C'est hors scène en effet qu'ils se sont rencontrés à l'acte précédent.

En une longue tirade (cent huit vers), Agrippine rappelle à son fils qu'il lui doit le trône. Elle évoque tout : son propre mariage avec l'empereur Claude ; le mariage de Néron avec la fille de Claude ; l'adoption de Néron par Claude qui fait du jeune homme l'héritier de l'empire ; les bons précepteurs qu'elle lui a choisis ; les mauvaises influences qu'elle veillait à faire subir à Britannicus ; les spectacles qu'elle organisait au nom de Néron pour le rendre populaire auprès du peuple ; le soin qu'elle prit à la mort de Claude pour préparer la succession et l'accès au pouvoir de Néron. Elle en vient à ses griefs. Elle s'était engagée à ce que Junie épouse Britannicus ; Néron a fait enlever la jeune fille. Elle avait en Pallas un soutien ; Pallas est banni. Britannicus a été arrêté. Elle-même a perdu sa liberté.

Quatre vers suffisent à Néron pour exprimer sa reconnaissance. Très vite, il se livre à des insinuations. Agrippine ne l'a placé sur le trône que pour exercer elle-même le pouvoir. Puis il accuse : elle soutient son rival Britannicus ; elle s'appuie sur Pallas qui est l'âme de tous les complots ; pis encore, elle projette de faire proclamer Britannicus empereur. La tirade est brève : trente-cinq vers.

Agrippine se répand en dénégations. Il n'a jamais été dans ses intentions de faire couronner Britannicus. Elle a d'ailleurs trop nui au jeune homme pour ne pas redouter le moment où il exercerait le pouvoir. Elle a toujours voulu voir régner Néron et elle est prête, pour cela, à donner jusqu'à sa vie.

Brusquement, Néron semble céder. Agrippine réclame la libération de Britannicus, son mariage avec Junie, la possibilité pour elle de le voir lui, Néron, son fils, autant qu'elle le souhaite. Néron accorde tout. Il annule même le bannissement de Pallas, ce qui ne lui a pas été demandé.

Cette scène de confrontation que la pièce fait attendre depuis le début de l'acte I révèle à quel point la marge de manœuvre d'Agrippine est étroite. Les menaces qu'elle proférait, prétendant en appeler à l'armée, laissant entendre qu'elle pourrait se servir de Britannicus, étaient dépourvues de fondement. Si son fils ne lui obéit plus, elle perd tout pouvoir.

Scène 3 : Néron révèle à Burrhus le fond de sa pensée :

> « J'embrasse mon rival, mais c'est pour l'étouffer » (v. 1314).

Il a l'intention de faire mourir Britannicus et de ne rien tenir de ce qu'il a promis. Burrhus s'oppose vivement à cette décision. Il accumule les arguments. Le meurtre de Britannicus détruira le bon renom dont jouit Néron et, une fois sur le chemin du crime, celui-ci ne pourra s'arrêter, car Britannicus aura des vengeurs, qu'il faudra tuer à leur tour (« Vous allumez un feu qui ne pourra s'éteindre », v. 1351). Il rappelle comment naguère Néron répugnait à condamner à mort un coupable avéré. Il met sa personne dans la balance, affirmant ne pas vouloir survivre à la mort de Britannicus, et se jette aux pieds de Néron. Il déclare enfin le jeune prince innocent de toute volonté séditieuse.

Et l'empereur cède, prêt à la réconciliation.

Scène 4 : Surgit Narcisse, qui rend compte à Néron des préparatifs pour la mort de Britannicus. Néron lui apprend son revirement : « On nous réconcilie » (v. 1400). Narcisse feint d'accepter cette décision. Mais il argumente à son tour. Pour lui, toutefois, pas de longue tirade emportée par l'éloquence ; au contraire, quelques vers, auxquels Néron répond plus brièvement encore. Premier argument : Britannicus saura qu'on a voulu attenter à sa vie ; il cherchera à se venger. Deuxième argument : l'amour que Néron porte à Junie. Troisième argument : si Néron laisse la vie sauve à Britannicus, il aura l'air de céder devant Agrippine qui s'est publiquement vantée de son pouvoir sur son fils. « Quoi donc ? Qu'a-t-elle dit ? Et que voulez-vous dire ? » (v. 1416). Ce troisième argument émeut Néron.

Désormais, l'empereur ne résiste plus que faiblement. Narcisse balaie les derniers obstacles. La réputation de Néron sera ternie par ce meurtre ? Que non ! Le peuple romain adore « la main qui (le) tient enchaîn(é) » (v. 1442). Néron s'est engagé auprès de Burrhus ? Qu'à cela ne tienne, il faut donner une leçon au vieux précepteur qui ne cesse de proclamer que Néron lui obéit en tout.

« Allons voir ce que nous devons faire » (v. 1480), dit Néron.

Durant l'acte IV, Néron va de revirement en revirement. Il a décidé de faire mourir Britannicus. Il se laisse ensuite convaincre de l'épargner. Il change une nouvelle fois d'avis : Britannicus mourra.

L'argument qui emporte sa décision ? La nécessité de s'affranchir du joug de sa mère et de ses précepteurs.

Néron veut devenir lui-même. Et le « monstre » naît.

ACTE V (DÉNOUEMENT : NÉRON « MONSTRUEUX »)

Scènes 1 et 2 : Britannicus, puis Agrippine, se réjouissent de la réconciliation entre Néron et le jeune prince qui doit être scellée au cours d'un banquet. Junie, elle, pressent le pire.

Scène 3 : Seule avec Junie, Agrippine se livre à des transports de joie : Néron vient de lui donner mille marques d'affection. A nouveau, elle va dominer : « Rome encore une fois va connaître Agrippine » (v. 1604). Elle est interrompue par du bruit.

Scènes 4 et 5 : Burrhus entre. Il annonce que Britannicus vient de mourir. Junie court auprès du jeune prince. Le précepteur fait alors à Agrippine le récit de l'assassinat. Il souligne le sang-froid de Néron.

Scène 6 : Néron, qui aperçoit Agrippine, laisse échapper une exclamation. Agrippine l'accuse aussitôt du meurtre. Il se défend en attaquant : pourquoi ne pas l'accuser de la mort de Claude ? Or, de cette mort, c'est Agrippine que la rumeur rend responsable... Narcisse, lui, justifie le meurtre : c'est un acte politique, rendu nécessaire par l'ambition de Britannicus (« Il (=Britannicus) aspirait plus loin qu'à l'hymen de Junie », v. 1663). Agrippine éclate alors en imprécations, prophétisant à Néron un avenir plein de sang et d'opprobre.

Scène 7 : Agrippine reconnaît son erreur : Burrhus n'est pas son ennemi. Ils se lamentent tous deux.

Scène 8 : Albine, la confidente d'Agrippine, revient annoncer ce qu'il est advenu de Junie. La jeune fille s'est réfugiée chez les Vestales. Dans leur temple, elle est hors d'atteinte. Quant à Narcisse, qui cherchait à la retenir, il a été tué par la foule. La nuit tombe et Néron erre, en proie à la douleur d'avoir perdu Junie et à la pensée du suicide. C'est à Burrhus qu'il revient de conclure : « Plût aux Dieux que ce fût le dernier de ses crimes ! » (v. 1768).

L'action se précipite vers le dénouement au cours de l'acte V, qui voit la mort de la victime, Britannicus, et le châtiment du traître Narcisse. Quant à Néron, le « monstre naissant », il a accompli le parcours qui le menait à lui-même. Il s'est engagé dans la voie du crime. Et son attitude égarée, son désespoir préfigurent ce que le spectateur connaît du personnage historique, poussé sous la pression de l'armée à mettre fin à ses jours.

4 Les personnages dans *Britannicus*

Une pièce n'est pas faite pour être lue, mais pour être jouée. A la lecture, il manque au personnage un corps, des attitudes, des expressions, ce que lui apporte le comédien. Il lui manque de s'intégrer à une conception générale de l'action que confère la mise en scène. Son existence se limite au texte, c'est-à-dire aux paroles qu'il prononce et à celles qui sont dites à son propos. Il ne faut pas oublier ces limites lorsqu'on aborde les personnages dans *Britannicus.*

LES MONSTRES[1]

Agrippine

• *Les sources historiques.* Princesse de très haute naissance, fille de Germanicus, général immensément populaire, descendante de l'empereur Auguste, Agrippine est « femme, sœur et mère » (I, 2, v. 156) d'empereurs. Sœur de Caligula, elle a épousé Claude et enfanté Néron.

Belle, intelligente, pleine de courage et de sang-froid, elle apparaît dans les *Annales* de Tacite prête à tout pour le pouvoir. Elle séduit l'affranchi Pallas pour qu'il favorise son mariage avec Claude. Elle organise l'accession au pouvoir de son fils Néron, né d'un premier lit. Elle fait empoisonner Claude enfin. Lorsque Néron, devenu empereur, se détache d'elle, elle ne recule devant aucune bassesse pour le retenir. Elle meurt assassinée sur ses ordres.

Racine se montre fidèle à ses sources, les *Annales.* Lorsque, à la scène 1 de l'acte I, Agrippine évoque le souvenir des temps heureux où elle assistait aux séances du Sénat, dissimulée derrière un voile, les vers de *Britannicus* suivent de près le texte latin. Quant aux deux discours d'Agrippine,

1. Ce terme de « monstre » reprend le mot de Racine à propos de Néron dans les *Préfaces* de la pièce.

l'un, plein de menaces, adressé à Burrhus (III, 3), l'autre, à Néron, expliquant combien étaient vaines ces mêmes menaces (IV, 2), ils reproduisent, presque mot pour mot, les *Annales*.

• *L'héroïne de Racine.* Comme celle de Tacite, l'Agrippine de *Britannicus* traîne derrière elle un sillage d'actes noirs. C'est elle qui, avec sang-froid, a médité la prise de pouvoir de Néron. Elle a épousé son propre oncle, Claude, parce qu'il était empereur. Au mépris de l'existence du fils de Claude, Britannicus, elle a fait adopter Néron, son fils d'un premier mariage, qui est ainsi reconnu héritier de l'empire. Et, non contente d'avoir spolié le jeune Britannicus, rusée, prévoyante, elle l'avilit en lui choisissant un entourage abject (IV, 2, v. 1159-1160).

• *Une femme hantée par le pouvoir.* Toujours aux aguets de ce qui se passe à la cour, elle interprète tout, les attitudes de son fils, l'enlèvement de Junie. Sans cesse, elle s'efforce de regagner sa puissance d'antan : elle favorise les plans de Britannicus, elle complote avec Pallas l'affranchi, elle songe à utiliser l'ascendant qu'elle a sur l'armée. Elle se montre déterminée, sans scrupules, prête à tout, au moins en paroles, y compris à lutter contre son propre fils, pour retrouver l'enivrement du pouvoir.

Avec cette obsession du pouvoir, Agrippine est une mère terrible. Elle accable son fils de reproches. Elle exige sa reconnaissance. Elle veut tout régenter. Se sentant repoussée, elle n'hésite pas à renforcer l'influence de Britannicus pour avoir une arme contre ce fils qui lui échappe. Elle promet d'aider le jeune prince à épouser celle qu'il aime en dépit des risques qu'un tel mariage ferait courir à Néron. Elle vit sa maternité comme un combat, disant de son fils : « Je le craindrais bientôt, s'il ne me craignait plus » (I, 1, v. 74).

Son langage la révèle. Dure, cassante avec les inférieurs, elle ne cesse de rappeler au vieux Burrhus qu'il lui doit sa position de précepteur de Néron. Hautaine, elle évoque sa naissance princière (I, 2). Avec son fils, impérieuse, elle accumule les ordres, tels les célèbres « Approchez-vous, Néron, et prenez votre place » (IV, 2, v. 1115) et « Arrêtez, Néron (V, 6, v. 1648).

• *Un personnage miné.* Il faut aller au-delà de ces apparences. Femme de tête, habile politique, Agrippine ? Le personnage de *Britannicus* est plus complexe. Cette femme altière exprime une frustration à la limite de l'incohérence, comme si elle perdait toute maîtrise d'elle-même, lorsqu'elle évoque le pouvoir qu'elle n'a plus (III, 4, v. 891 sqq.). Cette femme si douée pour l'action accumule les erreurs. Tout en sachant qu'elle n'aurait rien à attendre de lui s'il régnait, elle soutient Britannicus. Elle a sans cesse la menace à la bouche, mais elle ne peut agir. Elle se trompe également dans ses jugements sur les hommes. Elle prend pour cible Burrhus le vieux précepteur, et ne voit pas qu'il lui propose son alliance. Elle ne se rend pas compte que Narcisse, tapi dans l'ombre, est dangereux. Il semble même qu'elle ait écouté ce dernier avec complaisance :

> « Je condamnais Burrhus, pour écouter Narcisse »,
> avoue-t-elle (V, 7, v. 1696).

Enfin, elle se laisse aveugler par les menées hypocrites de son fils, alors que Britannicus est sur le point de mourir.

D'acte en acte, Agrippine perd pied. Néron enlève Junie malgré la protection que lui accordait Agrippine (I, 1). Il fait exiler Pallas, son appui (II, 1). Il la place sous surveillance (III, 9). Il fait empoisonner à l'acte V Britannicus qu'elle voulait défendre. Il est significatif que, pour sa première apparition, au lever du rideau, elle se présente, à l'aube, « sans suite et sans escorte » (I, 1, v. 3), c'est-à-dire sans gardes ni dames de compagnie, sans les signes de son rang et de son pouvoir, et qu'elle se heurte à la porte close de son fils. Monstre elle-même, elle a engendré un fils monstrueux contre lequel elle est désarmée, quoi qu'elle tente de croire et de faire croire en mettant en avant Britannicus, en parlant d'alerter les légions, en se réclamant de son passé plein de crimes hardis. Dans *Britannicus,* elle se débat en vain.

Agrippine souffre d'une faiblesse secrète. Cette mère abusive et violente est aussi une mère torturée. Ne dit-elle pas à Néron avec l'accent de la sincérité :

> « Dès vos plus jeunes ans, mes soins et mes tendresses
> N'ont arraché de vous que de feintes caresses »
> (IV, 2, v. 1271-1272) ?

Ne fait-elle pas plusieurs fois allusion à un oracle révélant qu'elle mourrait des coups de ce fils qu'elle avait placé sur le trône ?

Cette prescience de la douleur, ce savoir innommable d'une mort qui lui viendra de son fils, justifient sans doute que cette femme, toute chargée de crimes, se dresse à la fin de la pièce pour défendre la vertu et stigmatise la conduite de Néron (V, 6).

A la fois lucide et aveuglée, femme d'action incapable d'agir, mère monstrueuse agitée d'une terrible prémonition, agressive et désarmée, Agrippine est un personnage profondément tragique.

Un mot ici sur la confidente d'Agrippine, Albine. Elle recueille les plaintes de sa maîtresse, oppose un solide bon sens aux intuitions de celle-ci et, à la fin de la pièce, elle décrit les événements qui suivent la mort de Britannicus. Le personnage ne s'écarte en rien de la tradition théâtrale.

Néron

• *Les sources historiques.* Les historiens latins, Suétone et Tacite, présentent Néron comme un prince veule, débauché, cruel, qui se prenait pour un poète et déclamait en public, fit assassiner sa mère et tua sa deuxième femme, Poppée, d'un coup de pied dans le ventre, décima la noblesse romaine et ordonna le suicide de son vieux maître Sénèque. (Pour les phases du règne, se reporter aux Repères historiques de la p. 9.)

• *Le Néron de Racine. Britannicus* montre un Néron très jeune encore, âgé de moins de vingt ans, à un moment clé — celui où, secouant le joug de sa mère et celui de Burrhus, il découvre et révèle sa véritable nature ; le moment où le « monstre » naît, pour reprendre la formule de Racine.

Une noirceur extrême entoure le personnage. Agrippine évoque son hérédité atroce, un père cruel, un oncle fou (l'empereur Caligula), des ascendants renommés pour leur brutalité (I, 1). Elle souligne les événements sombres qui ont entouré son accession au trône : un suicide, celui du jeune homme auquel était promise la jeune fille qu'il a épousée, Octavie ; un assassinat probable, celui de Claude, l'empereur qui l'a adopté et qui a fait de lui son héritier ; une spoliation, celle du fils de Claude, Britannicus, évincé du pouvoir. Enfin, la première action par laquelle il se signale est un enlèvement, celui de Junie.

• *Néron rebelle.* Ce prince informé de tout, cet empereur entouré de sa garde qui dit : « Je le veux, je l'ordonne » (II, 1, v. 369), cet homme qui détient un pouvoir absolu entre en rébellion. Au début de la pièce, il est bien le souverain, mais il subit encore l'influence de son précepteur Burrhus et le joug de sa mère. Il lui faut se libérer de ces contraintes. D'acte en acte, de coup de force en coup de force, il se défait de ce qui le bride : goût de la vertu, reconnaissance, respect filial, souci de sa renommée. Refuser de recevoir Agrippine, enlever sa protégée Junie, tomber amoureux de celle-ci et rejeter la femme que sa mère lui avait donnée pour épouse, s'attaquer à son protégé Britannicus et le tuer : telles sont les étapes de la rébellion de Néron.

L'enfantement du « monstre » par lui-même ne va pas sans douleurs. Néron avoue en effet à son confident Narcisse, parlant de sa mère :

> « Mon génie étonné tremble devant le sien »
> (II, 2, v. 506).

« Étonné », au XVIIe siècle, a le sens fort de « paralysé comme par la foudre » ; c'est dire l'intensité du sentiment qui lie l'empereur à Agrippine. Pour échapper à son emprise, il est condamné à la fuir (v. 508). Dès qu'elle lui parle, il se retrouve enfant, subissant ses ordres (IV, 2, v. 1115). Lui qui vient d'observer avec indifférence la mort de Britannicus, il s'exclame : « Dieux ! » (V, 6, v. 1648), lorsqu'il aperçoit sa mère, tant il lui est pénible de soutenir sa vue et ses reproches.

• *Néron amoureux.* Si sa révolte contre sa mère le mène au crime, Néron est tout aussi brutal lorsqu'il est amoureux. Il s'éprend d'une femme dont il vient d'ordonner l'enlèvement, qui est entourée de soldats et qui pleure. Il est animé par la volonté de contraindre. Sous la galanterie de ses discours

> « [...] Est-ce donc une légère offense
> De m'avoir si longtemps caché votre présence ? »
> (II, 3, v. 539-540),

perce la menace. Que Junie ne l'aime pas, qu'elle avoue aimer Britannicus, ne gêne pas Néron : il ne prend pas garde à ses sentiments et lui propose le mariage. Et cette femme qu'il aime — selon lui —, il la met à la torture. Oui, elle peut voir Britannicus, il y consent. Mais elle doit feindre l'indifférence. Si elle n'obéit pas, Britannicus mourra :

> « Et sa perte sera l'infaillible salaire
> D'un geste ou d'un soupir échappé pour lui plaire »
> (II, 3, v. 683-684).

Aimer, contraindre, faire souffrir sont pour Néron indissolublement liés. Le sentiment amoureux est chez lui marqué d'une forte composante sadique. S'il ne peut être aimé, Néron trouve une jouissance de substitution, la souffrance de son rival :

> « Je me fais de sa peine une image charmante »
> (II, 8, v. 751).

• *Néron hypocrite.* Réduit à l'état d'enfant devant sa mère, volontiers sadique, Néron est aussi profondément dissimulé. Il ne révèle pas ses intentions. Avant même de rencontrer Junie, Néron a décidé qu'il laissera Britannicus la voir, projetant déjà, s'il n'obtient pas ce qu'il souhaite, de faire souffrir les deux amants. « Il la verra », dit-il à son confident Narcisse, et comme celui-ci lui conseille de le bannir, il réplique, menaçant :

> « J'ai mes raisons » (II, 2, v. 521 sqq.).

Rien d'improvisé dans sa cruauté. Elle est méditée et dissimulée. A sa mère qui lui demande que Britannicus épouse Junie, il ne dit pas que son choix est arrêté et qu'il a organisé la mort du jeune homme. Il va jusqu'à prétendre accéder à sa requête (IV, 2). Jusqu'au bout, il ment : il feint la réconciliation avec Agrippine dans le récit de celle-ci à Junie (V, 3, v. 1587 sqq.) ; Burrhus affirme que Britannicus a une crise d'épilepsie alors qu'il meurt empoisonné (V, 5, v. 1639-1640) ; il nie quand on l'accuse du crime qu'il a commis (V, 6, v. 1652 sqq.). Révolté contre sa mère, Néron n'a pas le courage de sa révolte. Son hypocrisie vient de sa lâcheté.

Infantile, le Néron de *Britannicus* est à la fois terrifiant et pitoyable, infiniment inquiétant et totalement « monstrueux ».

Burrhus

• *Le personnage historique.* Tacite insiste sur le rôle de ce soldat de valeur dans la prise du pouvoir qu'Agrippine organisa pour Néron. Selon l'historien latin, Agrippine ne mit son projet d'assassiner l'empereur Claude à exécution que quand elle eut placé Burrhus, homme à sa dévotion, à la tête des cohortes prétoriennes (voir Lexique, p. 8). C'est lui en effet qui facilita l'acclamation de Néron par les cohortes. Toujours selon Tacite, Burrhus représente auprès de Néron le « parti de la vertu ». Quand il meurt, l'historien ne tranche pas pour dire s'il s'agit de maladie ou de poison. Racine, lui, aux vers 1713 et suivants, laisse entendre que Burrhus mourra sous les coups de Néron.

• *Le personnage dans* « Britannicus ». Précepteur de Néron, Burrhus est son conseiller « officiel ». Ce qu'il prêche, maîtrise de soi et vertu, est parfaitement moral. Vieux soldat, type même du Romain tel que le dépeignent les pièces de Corneille, il affirme, dès sa première apparition, sa franchise, voire son franc-parler, en toute circonstance (I, 2, v. 141 ; v. 173-174). Il séduisait beaucoup les spectateurs du XVIIe siècle, qui retrouvaient en lui le genre de personnage auquel ils étaient habitués dès que les pièces traitaient de l'Antiquité latine.

Burrhus est lucide. Il a su déceler la « férocité » (III, 2) chez son élève bien avant qu'elle n'éclate au grand jour. Il voit que l'attitude d'Agrippine, vindicative et menaçante, lui aliène son fils. Courageux, il défend son point de vue devant la redoutable Agrippine sans jamais se laisser intimider (I, 2). Il s'oppose à Néron lui-même et tente d'empêcher le meurtre de Britannicus. Jouant sur l'affectivité de son élève, il semble, un instant, arrêter le cours de l'Histoire et faire revenir l'empereur sur sa décision (IV, 3). Après l'assassinat de Britannicus, sans prise sur les événements, le vieux soldat souhaite que la mort vienne le délivrer et c'est à lui qu'il revient de prononcer le dernier vers de la pièce :

> « Plût aux Dieux que ce fût le dernier de ses crimes ! »
> (V, 8, v. 1768)

Apôtre de la vertu en politique, Burrhus n'est pourtant

pas dénué d'ambiguïté. Il donne sa caution à l'enlèvement de Junie avec un empressement suspect. Raison d'État, affirme-t-il à Agrippine :

> « Vous savez que les droits qu'elle porte avec elle
> Peuvent de son époux faire un prince rebelle »
> (I, 2, v. 239-240).

Certes, l'idée ne vient pas de lui (I, 2, v. 285-286), mais il ne la juge pas si mauvaise. Peu lui importe l'innocence de Junie. La logique du pouvoir semble corrompre chez lui les aspirations à la vertu. Plus grave encore, Burrhus a été mêlé à l'accession au trône de Néron. Or cette accession, de l'aveu même d'Agrippine, s'est faite dans des conditions troubles. Burrhus pouvait-il l'ignorer ? Enfin, cet homme honnête parle bien légèrement. Dans son discours en faveur de la réconciliation entre Britannicus et Néron, il affirme l'« innocence » de Britannicus :

> « Je vous réponds pour lui de son obéissance »
> (IV, 3, v. 1388).

Le spectateur, pour sa part, a entendu Britannicus clamer sa haine de Néron et échafauder des projets de révolte. Le jeune prince n'est pas si « innocent » que cela. Dans ce même discours, Burrhus proclame ne pas vouloir survivre si l'empereur fait assassiner Britannicus :

> « On ne me verra point survivre à votre gloire » (v. 1375).

Il semble avoir oublié cette déclaration à la fin de la pièce quand la mort de Britannicus a eu lieu.

Si Burrhus échoue dans la pièce à convaincre Néron d'épargner Britannicus, peut-être est-ce à cause de ces ambiguïtés.

Narcisse

Le personnage historique de Narcisse, affranchi de Claude qui eut un pouvoir extrême, semble avoir été favorable à Britannicus. Et il est mort avant la période évoquée par la pièce. Tacite, toutefois, en quelques mots qui sont peut-être à l'origine de la genèse du Narcisse de Racine, suggère qu'il avait par ses vices de profondes affinités avec Néron.

Dans *Britannicus*, Narcisse a deux visages. Officiellement, il est le confident de Britannicus. S'il conseille Néron, c'est dans l'ombre. Souple, insinuant, il est le mensonge et la traîtrise incarnés. Il n'hésite pas à recommander l'assassinat d'un jeune homme qui a placé en lui sa confiance.

Narcisse cherche à retrouver de l'influence.

« La fortune t'appelle une seconde fois », dit-il (II, 8, v. 757).

Il a connu les vertiges du pouvoir et il les évoque à l'acte IV, scène 4 (v. 1445 sqq). Le changement d'empereur l'a fait tomber de son piédestal. En gagnant la reconnaissance de Néron, il compte restaurer sa puissance. Loin de contrarier Néron comme le fait Burrhus, il le flatte. Néron veut-il abuser Britannicus et le faire souffrir ? Narcisse l'aide. Veut-il l'assassiner ? Narcisse court lui chercher du poison, en vérifie l'efficacité et lui donne les arguments qui justifient sa conduite. Il est même l'exécuteur des basses œuvres. C'est lui qui administre le breuvage mortel. C'est lui également qui tente de retenir Junie dans sa fuite en portant la main sur elle. Ce geste lui est fatal : il est tué par la foule (V, 8).

Dans la classification rigide des personnages de théâtre au XVIIe siècle, Narcisse n'est qu'un confident. Le confident accompagne le héros et l'écoute exprimer ses pensées et ses sentiments. Par définition, le confident n'a pas d'influence sur l'action qui est tout entière menée par les personnages principaux. Conformément à sa fonction, Narcisse ne prend jamais la parole en public ; il ne parle que seul à seul avec Britannicus ou Néron — avec une exception, significative, lorsqu'il s'oppose à Agrippine pour justifier le meurtre de Britannicus (V, 6). Enfin, marque de son infériorité, il est le plus souvent tutoyé par ceux qu'il conseille. Burrhus, rappelons-le, est constamment vouvoyé.

Pourtant, le rôle de Narcisse n'a rien de commun avec celui d'Albine, confidente d'Agrippine, confidente classique. Messager obscur, allant du prince régnant au prince dépossédé, Narcisse acquiert dans la pièce une immense importance. Alors que Néron, sur les instances de Burrhus, a renoncé à faire tuer Britannicus, Narcisse le pousse à revenir à son intention première au cours d'une grande scène

(IV, 4). Attentif au moindre frémissement de son maître, il sait flatter en lui les instincts. Si Racine écrit dans ses *Préfaces* que Néron est un « monstre naissant », Narcisse est l'accoucheur de ce « monstre ».

Plus qu'un confident, plus qu'un exécutant, plus qu'un conseiller même, Narcisse est une sorte de double de Néron, lui soufflant les actions qu'il n'ose encore accomplir. Son nom de Narcisse, rappelant le mythe de ce jeune homme si beau qu'il s'éprit de sa propre image reflétée dans l'eau, a peut-être suggéré ce rôle. Sans cesse, il présente à Néron l'image de lui-même qu'il désire. A Néron amoureux de Junie, il propose l'image d'un empereur solaire, glorieux, irrésistible (II, 2, v. 449 sqq.). A Néron soucieux de se libérer des influences qui pèsent sur lui, il énonce une théorie du pouvoir sans entraves (IV, 4, v. 1432 sqq.).

Avocat d'une politique cynique, profondément amoral, répondant intimement aux désirs les plus secrets de Néron, le personnage rencontre à la fin de la pièce une mort qui est un châtiment. Et la nécessité de ce châtiment (qui, on l'a vu, n'a rien d'historique) montre bien, s'il en était encore besoin, que Narcisse est tout autre chose qu'un confident...

LES VICTIMES

Junie

Junie, à la différence des autres personnages, n'a aucune réalité historique. C'est une création de Racine. Tout au plus peut-on dire qu'elle est une version conforme aux bienséances de l'affranchie Acté dont s'éprit le Néron de l'Histoire et qui suscita la première brouille entre le jeune empereur et sa mère. Quoi qu'il en soit, elle forme avec Britannicus le couple d'amoureux dont la passion est contrecarrée par la marche de la tragédie. Dans d'autres pièces de Racine, il y aura Bajazet et Atalide, Achille et Iphigénie, Hippolyte et Aricie.

• *Une victime du jeu politique.*

> « Belle, sans ornements, dans le simple appareil
> D'une beauté qu'on vient d'arracher au sommeil »
> (II, 2, v. 389-390),

c'est ainsi que Néron décrit sa première apparition. Une arrestation, des gardes, des mouvements brutaux dans la nuit, « Les ombres, les flambeaux, les cris et le silence » (v. 392), la voilà projetée dans la tragédie. Elle est dès l'abord contrainte, forcée.

Pourquoi ? Cet enlèvement a des causes politiques. Porteuse de « droits » au trône (I, 2, v. 239), entourée d'un « parti » (IV, 2, v. 1252), c'est-à-dire d'un groupe de gens qui la soutiennent, elle représente une force sur laquelle la pièce ne donne guère de précisions, sinon qu'elle aussi, comme Agrippine, Néron, Octavie et Britannicus lui-même, elle descend d'Auguste, fondateur de la dynastie régnante. L'homme qu'elle épousera verra ses prétentions au trône renforcées. Si c'est Britannicus, il confortera des droits déjà très forts, puisqu'il est fils d'empereur et que Néron n'a pas d'enfants pour lui succéder.

Mais Junie refuse de jouer le jeu du pouvoir. Elle fuit la cour, malgré son amour pour Britannicus qui y réside, malgré ses liens d'amitié avec l'impératrice Octavie (épouse de Néron, sœur de Britannicus, rappelons-le), autrefois fiancée à son frère. Loin de menacer d'utiliser ce pouvoir qu'on lui attribue, elle se dit dépourvue d'appuis. Dans la formule qu'elle emploie pour se décrire :

> « Seul reste du débris (=ruine) d'une illustre famille » (II, 3, v. 556),

il faut remarquer la double atténuation (« reste », « débris ») qui, par avance, frappe une « illustre famille ».

• *Une héroïne de la fidélité.* L'amour que Junie éprouve pour Britannicus est empreint de pitié et de nostalgie. En effet, cette princesse est fidèle à un ordre qui a disparu. Un ordre qu'ont détruit les menées d'Agrippine en faveur de Néron. Au pouvoir neuf qui est celui de Néron, Junie oppose le respect du pouvoir précédent qu'a exercé l'empereur Claude, père de Britannicus. Elle affirme :

> « Il (= Britannicus) m'aime ; il obéit à l'empereur son père » (II, 3, v. 558),

et :

> « J'aime Britannicus. Je lui fus destinée
> Quand l'empire devait suivre son hyménée » (= quand Britannicus devait être couronné empereur à la suite de son mariage) (II, 3, v. 643-644).

Avec ces paroles, elle rappelle à Néron que son accession au pouvoir a bouleversé l'ordre en place — l'ordre auquel Britannicus et elle restent fidèles.

Junie conjugue la fidélité avec la lucidité. Arrivée la nuit au palais impérial, elle s'enfuit à la tombée du jour suivant, mais elle a tout compris :

> « Je ne connais Néron et la cour que d'un jour ;
> Mais, si je l'ose dire, hélas ! dans cette cour
> Combien tout ce qu'on dit est loin de ce qu'on pense ! »
> (V, 1, v. 1521-1523).

Alors qu'autour d'elle Britannicus et Agrippine s'aveuglent, elle pressent le meurtre qui se prépare (V, 1 et 3).

Junie, enlevée, poursuivie des assiduités de Néron, soumise à la torture morale, en vient à s'exclamer, tant elle souffre :

> « Enfin, j'aurais voulu n'avoir jamais aimé »
> (III, 7, v. 1014).

Mais jamais elle ne cède ni ne plie. Elle reste insensible à l'éclat du pouvoir qui entoure Néron et à ses promesses. Elle demeure jusqu'au bout fidèle à un ordre disparu. Faute de pouvoir manifester cette fidélité en épousant Britannicus, elle choisit de se retirer et trouve refuge dans le temple des Vestales — dans le célibat et la chasteté.

Arrivée sur scène par la violence d'un rapt, elle en sort d'une manière également cruelle : le récit que fait la confidente d'Agrippine la montre tachée du sang de Narcisse que la foule vient de tuer. Mais aucune de ces épreuves n'a pu venir à bout de sa fidélité.

Britannicus

Racine fait subir un infléchissement à l'Histoire en traitant ce personnage. Il ne se contente pas de le vieillir légèrement — Britannicus avait quatorze ans quand il mourut ; Racine lui en accorde dix-sept environ — et de lui prêter des sentiments amoureux. S'il insiste sur la lourde hérédité de Néron, il reste discret sur celle du jeune prince. Or ce dernier est le fils de Messaline, célèbre pour ses débauches, et de l'empereur Claude, qui avait une réputation de faiblesse et de sottise. Rien de cela n'apparaît dans *Britannicus.*

Junie, dans ses lamentations à la fin de la pièce, affirme que le jeune prince aurait pu devenir le digne héritier de l'empereur Auguste, fondateur de la dynastie. La pièce tend donc à faire de Britannicus l'anti-Néron, le prince légitime et vertueux qui aurait pu sauver l'empire des horreurs de la tyrannie.

• *Un jeune prince révolté.* Britannicus ne se résigne pas à avoir été écarté du pouvoir. Lorsqu'au troisième acte il se retrouve face à Néron, il l'attaque avec impétuosité. Il lui rappelle que c'était lui, Britannicus, qui devait régner (III, 8). Il ne fait guère mystère du fait qu'il considère Agrippine et Néron comme ses « ennemis ». Le mot revient sans cesse dans sa bouche (II, 6, v. 709, v. 734 ; V, 1, v. 1514).

Il voudrait conquérir le trône. Il évoque les « amis de (s)on père » (I, 4, v. 323), c'est-à-dire ceux qui pourraient prendre son parti et le soutenir. Il croit que sa cause rencontre un écho auprès d'une partie du Sénat (III, 5, v. 905 sqq.). Il pense que le peuple se révoltera si Néron attente à sa vie (V, 1, v. 1530).

• *Une victime.* Illusions sans doute que ces croyances. Les informations de Britannicus lui viennent de Narcisse qui le trahit. Le jeune prince ne bénéficie que du soutien épisodique d'Agrippine. Il n'a pas les appuis nécessaires à sa volonté de conquête. Le palais grouille des gardes de Néron. Les espions de l'empereur sont partout. Très vite, à la fin de l'acte III, il est prisonnier.

Pour lutter contre l'empereur et ceux qui l'entourent, Britannicus est trop naïf. Généreux, sincère, il accorde sa confiance même à Néron !

> « Je crois qu'à mon exemple impuissant à trahir,
> Il (= Néron) hait à cœur ouvert, ou cesse de haïr »
> (V, 1, v. 1517-1518).

Il s'appuie sur Narcisse, traître consommé, sans jamais le soupçonner. Un tel aveuglement peut être excusé. Narcisse a été recommandé à Britannicus par son père, Claude. L'attachement qui lie le jeune prince à son confident s'explique par sa fidélité.

Mais Britannicus n'est pas entièrement préoccupé du pouvoir. Il aime Junie et trouve auprès d'elle compréhension et apaisement. Par amour, il semble prêt à renoncer au trône de son père ; il affirme que si Néron le laisse épouser celle qu'il aime, il lui abandonne l'empire (V, 1 , v. 1489 sqq.).

Tantôt révolté, tantôt résigné, excité à la lutte par Narcisse qui le trahit, jouet d'un combat entre Agrippine et Néron, Britannicus ne peut que se perdre. Naïf et généreux, amoureux et impulsif, ce personnage qui donne son nom à la pièce en est la victime.

C'est en effet souvent le personnage à travers lequel les autres s'affrontent, celui qui subit et qui meurt, celui qui est rejeté, qui donne son nom aux pièces dans le théâtre de Racine. Que l'on songe à Andromaque, autour de laquelle tous combattent dans la pièce du même nom, à Bérénice, la reine sacrifiée à l'empire, à Bajazet, le jeune prince assassiné, à Iphigénie enfin, victime désignée.

LES ABSENTS

Quelques mots à présent sur des personnages dont on parle dans la pièce, mais qui n'apparaissent pas sur scène.

Sénèque

Agrippine accole toujours son nom à celui de Burrhus. Burrhus lui-même, dans un court monologue, se plaint de son absence (III, 2, v. 805-806).

Sénèque (4 av. J.-C.-65 ap. J.-C.) fut un écrivain, un philosophe, et joua un rôle politique. Il connut l'exil, en fut rappelé par Agrippine qui fit de lui le précepteur de Néron. Il mena une vie fastueuse. Impliqué dans un complot, la conjuration de Pison, il dut se suicider sur l'ordre de l'empereur. Il mourut avec courage.

Pourquoi est-il écarté de la scène dans *Britannicus* ? Un seul conseiller de Néron prêchant la vertu suffisait. Deux eussent constitué une redondance. Quant au choix de

Burrhus plutôt que celui de Sénèque, il s'explique ainsi : Sénèque, homme de la parole, homme de l'intelligence, formait avec Narcisse un couple moins contrasté que celui de Narcisse le rusé et Burrhus le soldat au franc-parler brutal.

Pallas

Affranchi longtemps tout-puissant de Claude, Pallas fut, d'après Tacite, l'allié d'Agrippine. Lorsque Claude dut choisir une autre femme, après les inconduites de Messaline qui entraînèrent sa mort, chaque affranchi mit en avant sa candidate. Agrippine fut recommandée par Pallas, qu'elle avait séduit.

Dans *Britannicus,* les appartements de Pallas sont le lieu d'un complot contre Néron. Agrippine, Britannicus s'y retrouvent. Aussi l'empereur décide-t-il d'exiler l'affranchi au début de l'acte II. Il est à nouveau question de lui à l'acte IV, scène 2, lors de l'entrevue entre Agrippine et Néron : l'empereur feint de renoncer à l'envoyer en exil (v. 1299).

Octavie

Fille de Claude et de Messaline, sœur de Britannicus, Octavie fut mariée à Néron qui la répudia pour épouser Poppée. Il l'exila tout d'abord, puis la contraignit au suicide.

Si Octavie n'apparaît pas dans la pièce, on parle beaucoup d'elle. Néron ne l'aime pas et souhaite divorcer. Agrippine voudrait empêcher ce divorce. Britannicus s'offusque du projet de Néron de répudier sa sœur. Junie considère Octavie comme son amie.

A l'acte III, Octavie est retenue prisonnière dans ses appartements.

Amour, haine et cruauté | 5

L'AMOUR GALANT : JUNIE ET BRITANNICUS

L'amour de Junie et Britannicus occupe, d'un point de vue quantitatif, une place importante dans la pièce.

Il ponctue trois des cinq actes de *Britannicus* ; la scène 6 de l'acte II, la scène 7 de l'acte III et la scène 1 de l'acte V mettent face à face les deux amants.

Étapes de cet amour

Junie et Britannicus ont beau être très jeunes, ils semblent s'aimer depuis un certain temps quand la pièce commence. Ils ont en effet été promis l'un à l'autre par l'empereur Claude. Quand Britannicus apparaît pour la première fois sur scène (I, 3), il est tout préoccupé du sort de Junie, que Néron vient de faire enlever. Quant à Junie, lors de sa première apparition sur scène, elle déclare sans fard à Néron son amour pour Britannicus (II, 3, v. 643 sqq.).

Cet amour est menacé. Depuis la nuit qui a précédé le lever de rideau, Junie est prisonnière de Néron. Plus grave, Néron qui ne connaissait pas la jeune fille s'est épris d'elle et veut l'épouser. Quand Junie et Britannicus se trouvent ensemble sur scène pour la première fois (II, 6), la rencontre s'effectue sous le regard caché, jaloux, et contraignant, de Néron. A cause de l'empereur, Junie s'efforce de convaincre Britannicus qu'elle n'éprouve à son égard que froideur. Elle est à la torture en le faisant souffrir. Il est jeté dans un « trouble », désorienté, persuadé qu'elle le délaisse pour Néron. Il faut toute la scène 7 de l'acte III pour dissiper le malentendu. A la fin de cette scène, le jeune prince souhaite obtenir le pardon de Junie, qu'il a soupçonnée à tort. Mais, alors que la tendresse règne à nouveau, Néron intervient, sépare les deux amants, les place sous surveillance (III, 8). Lorsque Junie et Britannicus sont réunis une dernière fois (V, 1), ils sont séparés par leurs sentiments : le jeune prince croit à un dénouement heureux ; la jeune fille est agitée de pressentiments tragiques. Quand Britannicus quitte la scène (V, 2), il marche vers sa mort.

Nature de cet amour

Junie et Britannicus sont tous les deux malheureux, délaissés. Ils sont unis par une souffrance commune.

> « Nous nous aidions l'un l'autre à porter nos malheurs »
> (I, 3, v. 298),

dit Britannicus à Agrippine. Ils sont d'un rang comparable. Junie descend d'Auguste, fondateur de la dynastie régnante. Britannicus est fils de l'empereur Claude. La jeune fille souligne combien son union avec le jeune prince est assortie lorsqu'elle dit à Néron :

> « Ah ! Seigneur, songez-vous que toute autre alliance
> Fera honte aux Césars, auteurs de ma naissance ? »
> (II, 3, v. 567-568).

Enfin, ils sont promis l'un à l'autre, de par la volonté de Claude (II, 3, v. 643-644).

L'amour de Britannicus et Junie est plein de délicatesse. Britannicus est prévenant, soucieux de l'état de Junie, après le choc du rapt :

> « Sache si du péril ses beaux yeux sont remis »,

demande-t-il à son confident, Narcisse (I, 4, v. 353). Junie, quant à elle, explique qu'elle est d'autant plus attachée au jeune homme qu'il est plus malheureux (II, 3, v. 645 sqq.). Ils sont prêts à se sacrifier l'un pour l'autre. Britannicus s'exclame galamment, lorsqu'il évoque l'enlèvement de Junie :

> « [...] Quel démon envieux
> M'a refusé l'honneur de mourir à vos yeux ? »
> (II, 6, v. 701-702).

Et la jeune fille, pour permettre la réconciliation de Néron et de Britannicus — afin de sauvegarder la vie de ce dernier —

offre de se retirer dans le temple des Vestales[1], c'est-à-dire de renoncer à son amour même (III, 8). Britannicus, enfin, s'émeut de ce que, par amour pour lui, Junie ait repoussé Néron, qui lui proposait de devenir impératrice à ses côtés :

> « Aux pompes de sa cour préférer ma misère ! »
> (V, 1, v. 1552).

Applaudi au XVIIe siècle par spectateurs et critiques pour sa galanterie, l'amour de Junie et Britannicus paraît un peu fade aux gens du XXe siècle, qui préfèrent voir en Racine le créateur d'un théâtre cruel. Mais il est de toute façon dans la pièce le contrepoint nécessaire aux sentiments monstrueux de Néron et d'Agrippine.

AMOUR ET CRUAUTÉ : L'AMOUR DE NÉRON POUR JUNIE

Fauteur de tragédie, l'amour de Néron pour Junie vient s'immiscer dans l'amour harmonieux de Junie et Britannicus. Violent, entaché de cruauté, il n'est pas partagé. A aucun moment Junie ne semble émue ou touchée par les aveux et les déclarations de Néron.

Importance de cet amour

Junie et Néron ne sont seuls face à face qu'une fois dans la pièce (II, 3). Mais l'amour que Néron déclare éprouver pour Junie apparaît dans d'autres scènes. Il en est longuement question à la scène 2 de l'acte II. Quant à la scène 6 de l'acte II, elle est marquée par Néron et sa passion jalouse. C'est lui qui, invisible et tout-puissant, règle les retrouvailles, après le rapt, de Britannicus et de Junie. Caché, observant tout, il contraint et fait souffrir. Enfin, plus tard (III, 8), il intervient et met fin à la scène de réconciliation entre les deux amants. Mais il s'adresse alors plus à Britannicus, son rival, qu'à la jeune fille.

Si peu de scènes sont consacrées à l'amour de Néron pour Junie, ce sentiment n'en revêt pas moins une grande importance du fait de sa fonction dans la pièce. A cause de cet amour qui a brutalement envahi Néron, la menace ne cesse

1. Vestales : cf. ci-dessus, p. 10.

de peser sur Britannicus et Junie. Avec cet amour, c'est l'irrationnel, l'incontrôlable qui fait irruption. C'est aussi la révolte de Néron contre Agrippine qui prend forme.

Un amour fait de cruauté

L'amour de Néron pour Junie naît dans la violence d'un enlèvement nocturne. L'empereur, qui n'a jamais vu la jeune fille, s'éprend d'elle, alors qu'elle lui apparaît entourée de soldats en armes. Le sentiment qui s'empare de lui est si brutal qu'il lui ôte la parole : « J'ai voulu lui parler, et ma voix s'est perdue » (II, 2, v. 396). La composante sadique de cet amour se précise rapidement. Dans ses fantasmes de séduction, Néron s'imagine menaçant Junie, la faisant pleurer :

> « J'aimais jusqu'à ses pleurs que je faisais couler », v. 402 ;
> « J'employais les soupirs, et même la menace », v. 404, *ibid.*

Et, effectivement, lorqu'il la rencontre (II, 3), il joue avec elle un jeu cruel. Il la cerne et la contraint, il la pousse à avouer que Britannicus l'aime, qu'elle-même rend son amour à Britannicus, il la menace. Il use et abuse du pouvoir que lui donne, sur elle et sur tous, son rang d'empereur. Junie a beau se défendre avec vaillance et habileté, tâchant d'esquiver tout en restant franche, il la prend au piège et lui impose la mise en scène qu'il a conçue. Elle devra faire croire à Britannicus qu'elle a cessé de l'aimer. Si elle ne s'exécute pas, Britannicus est en danger.

Un amour obsédant mais instable

> « De son image en vain j'ai voulu me distraire »
> (II, 2, v. 400) ;
> « Je la suis... » (II, 8, v. 753) ;
> « Adieu. Je souffre trop, éloigné de Junie » (III, 1, v. 799) ;
> « Le seul nom de Junie échappe de sa bouche »
> (V, 8, v. 1756).

L'amour de Néron pour Junie tourne vite à l'obsession. Il est significatif que, très peu de temps après son entrée en scène, Néron révèle cette passion nouvelle qui le dévore (II, 2) et que la pièce se termine sur cette image de lui, en proie à un délire d'amour frustré après la fuite de Junie.

Pourtant, cette passion connaît des éclipses. Lorsque vient le temps des décisions et qu'un arrêt de mort pèse sur Britannicus, son amour pour Junie ne semble guère influencer Néron. C'est avec froideur qu'il évoque, devant Agrippine, « cet amour qui nous (=Britannicus et lui, Néron) a séparés » (IV, 2, v. 1301). Plus nettement encore, il semble bien renoncer à ce sentiment lorsque, sous la pression de Burrhus, il accepte de se réconcilier avec Britannicus (IV, 3). Enfin, quand Narcisse, voulant ranimer en lui le projet du meurtre de Britannicus, évoque « l'hymen de Junie » (IV, 4, v. 1410), Néron n'est qu'indifférence.

C'est une marque de l'immaturité de Néron, de son instabilité, qu'il aime avec soudaineté, que son amour se dévoie en cruauté et s'exprime surtout, dans la pièce, dans le désir de nuire à son rival.

AMOUR ET HAINE : LE LIEN ENTRE AGRIPPINE ET NÉRON

Il est inutile de souligner l'importance du lien existant entre Agrippine et Néron dans *Britannicus.* L'action tourne autour des efforts que Néron fait pour se libérer de l'emprise de sa mère et de ceux d'Agrippine pour regagner une influence qu'elle a perdue. Junie et Britannicus ne sont que des pions voués à être balayés lors du combat gigantesque et obscur que se livrent l'impératrice douairière et son fils.

Un combat obscur : les sentiments filiaux de Néron

Néron est obsédé par Agrippine, par le pouvoir qu'elle a sur lui, quoi qu'il fasse pour lui échapper. Quand il parle d'elle, il dit « l'implacable Agrippine » (II, 2, v. 483) et il ne cesse d'évoquer son regard dominateur : « d'un œil enflammé » (v. 485), « Éloigné de ses yeux... » (v. 496), « De ces yeux où j'ai lu si longtemps mon devoir » (v. 502).

Écrasé par la personnalité de sa mère, femme impérieuse et sans scrupules, il se livre à une lutte obscure. Jamais, en effet, Néron ne combat directement sa mère. Il la vise probablement lorsqu'il ordonne l'enlèvement de Junie et lorsqu'il persécute Britannicus, puisqu'elle protège les deux jeunes gens. Il va jusqu'à ordonner qu'elle soit retenue prisonnière dans ses appartements (III, 9, v. 1091-1092). Mais il ne l'affronte jamais face à face. « Mon génie étonné tremble devant le sien », avoue-t-il à Narcisse (II, 2, v. 506).

Quand la confrontation finit par se produire (IV, 2), Néron demeure froid, voire ennuyé, comme indifférent. Alors que sa mère se répand en longs discours, il reste bref. Alors qu'elle semble sincère, il dissimule, feignant de se ranger à son avis. Et, plus tard, au moment même où se prépare l'assassinat de Britannicus, il joue à Agrippine la comédie de l'amour filial retrouvé et l'abuse complètement.

Sentant que dans un choc de volontés il ne pourrait que perdre, Néron livre contre sa mère un combat qui ne s'exprime jamais au grand jour.

Un combat en pleine lumière, celui d'Agrippine

De prime abord, Agrippine semble lucide, voire cynique, dans l'analyse des liens qui existent entre elle et Néron. C'est elle qui l'a placé à la tête de l'État. Il lui doit tout. Il peut lui en être reconnaissant. Il peut au contraire trouver pesante cette situation de perpétuel obligé. C'est l'alternative qu'elle pose dès les premiers vers de la pièce :

> « Tout, s'il est généreux (= s'il a des sentiments élevés), lui prescrit cette loi (= la reconnaissance) ;
> Mais tout, s'il est ingrat, lui parle contre moi »
> (I, 1, v. 21-22).

Et elle poursuit son analyse implacable : « Je le craindrais bientôt, s'il ne me craignait plus » (v. 74). Il y a, selon Agrippine, un rapport de forces entre elle et Néron. Toute son action dans *Britannicus* vise à faire pencher la balance en sa faveur. Mais chaque fois qu'elle recherche le combat à découvert, Néron se dérobe. Par dépit, elle en est réduite à attaquer Burrhus.

Elle qui analyse, qui semble si dépourvue de tendresse, qui n'a l'air de convoiter que le pouvoir, elle se retrouve face à Junie dans la position d'une rivale. Elle est jalouse d'elle :

> « Une autre de César (= Néron) a surpris la tendresse :
> Elle aura le pouvoir d'épouse et de maîtresse.
> Le fruit de tant de soins, la pompe des Césars,
> Tout deviendra le prix d'un seul de ses regards.
> Que dis-je ? L'on m'évite, et déjà délaissée...
> Ah ! je ne puis, Albine, en souffrir la pensée »
> (III, 4, v. 887 sqq.).

Dans ces paroles incohérentes, tout se mêle, le goût du pouvoir jusqu'à l'excès, et, peut-être, un sentiment maternel dévoyé.

En effet, véhémente, passionnée, sincère, semble-t-il, Agrippine révèle à l'acte IV, scène 2, face à un Néron glacial, un amour maternel tourmenté, sans cesse frustré :

> « [...] Et par quelle infortune
> Faut-il que tous mes soins me rendent importune ?
> Je n'ai qu'un fils. O ciel, qui m'entends aujourd'hui,
> T'ai-je fait quelques vœux qui ne fussent pour lui ? »
> (v. 1275 sqq.).

Elle fait allusion à l'oracle qui lui annonça que son fils la tuerait. Elle affirme que cette révélation n'a pu la détourner de faire de lui l'empereur. Elle offre même à Néron de mourir s'il le désire. Elle semble révéler alors une souffrance maternelle véritable.

Si elle aime Néron, Agrippine n'en profère pas moins de terribles menaces à son encontre. Si elle ne le détruit pas, elle parle de le faire. Comme Néron amoureux, elle est prête à déchirer, à malmener ce fils qui lui refuse les sentiments qu'elle attend de lui. On retrouve ici une caractéristique du théâtre de Racine : celui qui aime et se voit repoussé cherche à meurtrir et à détruire l'objet de son amour.

HAINE ET RIVALITÉ : BRITANNICUS ET NÉRON

L'hostilité de Britannicus vis-à-vis de Néron est nette. Parlant de l'empereur et de sa mère, le jeune prince emploie à plusieurs reprises le terme d'« ennemi(s) » (II, 6, v. 709 et 734 ; V, 1, v. 1514). Il sait le rôle qu'Agrippine a joué dans son éviction du pouvoir. Il est conscient que le trône lui revenait, à lui, fils de l'empereur Claude.

Il ne dissimule pas cette hostilité. Interrompu par Néron dans ses effusions avec Junie, il ne craint pas de lui rappeler ses origines obscures et la manière dont il l'a spolié. Il critique sa façon de gouverner, ses manœuvres pour séduire Junie (III, 8). S'il se montre aussi direct, c'est à cause de sa jeunesse et de sa « générosité », au sens du XVIIe siècle, c'est-à-dire sa noblesse de sentiments, mais c'est aussi parce qu'il a l'assurance que lui donne l'amour de Junie. Dans ce domaine, au moins, il ne craint pas d'être vaincu par Néron.

Plus ambiguë est l'attitude de Néron, qui fait espionner Britannicus et le manipule par son conseiller Narcisse interposé. Mais lorsqu'il prononce son nom pour la première fois, il le nomme son « frère » (II, 1, v. 364). L'entretien qu'il a avec Narcisse semble impliquer qu'il ignore si Britannicus aime Junie. Il demande :

> « Dis-moi : Britannicus l'aime-t-il ? » (II, 2, v. 427).

L'enlèvement de Junie ne serait donc pas a priori dirigé contre le jeune prince. C'est lorsqu'il découvre en Britannicus un rival — et un rival heureux — que Néron se fait hostile. Il affirme :

> « Néron impunément ne sera pas jaloux » (v. 445).

Comme s'il voulait transférer sur ce rival la souffrance qui est la sienne — celle de ne pas être aimé —, il devient alors cruel. C'est pour cela qu'il soumet Junie à une véritable mise en scène (II, 6).

Curieusement, quand Néron exprime sa décision de tuer Britannicus, il ne semble animé d'aucune haine à l'égard du jeune prince. Il explique :

> « [...] Il faut que sa ruine
> Me délivre à jamais des fureurs d'Agrippine »
> (IV, 3, v. 1315-1316).

A ses yeux, cette mort n'est qu'un moyen, et non une fin en elle-même. Agrippine seule est visée.

C'est sans doute la raison qui fait que Britannicus est le vaincu de ce conflit. Dans la partie qui se joue, il pense être l'adversaire de Néron. Il ne se rend pas compte qu'en fait il n'est qu'un pion dans un jeu qui le dépasse.

Pouvoir, morale politique et famille dans *Britannicus* 6

Quand Racine a commencé à écrire pour le théâtre, Corneille jouissait d'une incontestable suprématie, avec sa production féconde, en dépit de récents insuccès (*Agésilas* en 1666 et *Attila* en 1667).

Avec *Britannicus*, Racine s'attaque au domaine de Corneille, l'Antiquité romaine et la politique, les problèmes du pouvoir et de la morale. Mais il infléchit ces thèmes, affirmant dans sa *Préface* de 1670 : « Il ne s'agit point dans ma tragédie des affaires du dehors. Néron est ici dans son particulier et dans sa famille. »

Pouvoir, morale politique et famille sont donc inextricablement liés dans la pièce.

MORALE ET POLITIQUE

Nature du pouvoir

Le pouvoir, dans *Britannicus*, tous, à part Junie, le convoitent ou souhaitent le conserver, que ce soit Agrippine qui se lamente sur son influence perdue ou Britannicus préoccupé de le conquérir, Burrhus qui trouve légitime un enlèvement politique ou Narcisse capable d'assassiner.

Le pouvoir transforme celui qui le détient, quel qu'il soit, de par sa nature même ; il le magnifie ; il le transfigure. Cette qualité, dans la tragédie, est indiquée par l'image de la lumière. Narcisse décrit un Néron que le trône rend solaire : « l'éclat dont vous brillez » (II, 2, v. 450). Le pouvoir illumine les descendants des anciens empereurs : Agrippine parle du « sang de (s)es aïeux qui brille dans Junie » (I, 2, v. 228). Rester loin du pouvoir, c'est être, comme Junie telle que la décrit Néron et telle qu'elle se présente elle-même, « dans l'ombre enfermée » (II, 2, v. 415) et « dans l'obscurité » (II, 3, v. 613).

Le pouvoir est fragile. Agrippine a perdu son influence. Narcisse, jadis puissant, n'agit plus que secrètement. Pallas, si fier, peut être exilé. Néron lui-même est menacé par sa mère. Conféré un moment, il peut être repris. Avec la disgrâce viennent la solitude et l'abandon. Britannicus voit « son palais déserté » (II, 3, v. 646). Agrippine se lamente que la cour la délaisse.

Deux conceptions du pouvoir

L'un des conseillers de Néron, dans *Britannicus,* met en avant la nécessité pour le prince de pratiquer la vertu ; l'autre insiste sur la raison d'État.

• *La thèse de Burrhus.* Burrhus cherche à préserver l'équilibre entre le respect des institutions et le pouvoir de l'empereur. C'est cet équilibre qu'il décrit à la scène 2 de l'acte I lorsqu'il fait, pour Agrippine, l'éloge du règne de Néron (v. 204 sqq.).

Dans ce tableau de Rome sous Néron, les citoyens, que ce soit le peuple ou les soldats, gardent un pouvoir de décision important et les institutions fonctionnent de façon harmonieuse. Le mérite individuel n'est pas perçu par le pouvoir comme un danger. Le Sénat n'est pas menacé par un prince qui craint les rébellions. L'empereur respecte les prérogatives de chacun, évite l'arbitraire et, en retour, peut exercer dans la paix son pouvoir. Rome est, selon le mot de Burrhus, « toujours libre, et César tout-puissant » (v. 214).

Un acte tyrannique détruirait cet équilibre. Burrhus développe sa thèse à la scène 3 de l'acte IV, quand Néron annonce son intention de tuer Britannicus. L'empereur exerce son pouvoir avec l'assentiment de ses sujets ; un acte immoral les lui aliénera :

> « Néron dans tous les cœurs est-il las de régner ?
> Que dira-t-on de vous ? Quelle est votre pensée ? »
> (v. 1330-1331).

Tel est le premier argument. Deuxième argument : si le prince règne par la force, il s'expose à voir la force retournée contre lui. Tyran et meurtrier, il court le risque d'être renversé et tué. Des vers saisissants l'indiquent, ramassés par la rupture de construction que constitue l'anacoluthe, avec la force du chiasme, et scandés par la répétition de « tout » et « toujours » renforçant le caractère inéluctable du futur :

> « Craint de tout l'univers, il vous faudra tout craindre,
> Toujours punir, toujours trembler dans vos projets,
> Et pour vos ennemis compter tous vos sujets » (v. 1352 sqq.).

Selon cette thèse, la vertu du prince garantit le bon fonctionnement des institutions et la sécurité de tous est aussi celle du pouvoir.

• *La thèse de Narcisse.* Pour Narcisse, tout est rapports de force. Le pouvoir appartient à celui qui sait se faire craindre. Tel est le sens des conseils qu'il donne à Britannicus (I, 4, v. 314 sqq.).

Narcisse développe pour Néron sa conception dans la scène 4 de l'acte IV, qui fait suite à la scène avec Burrhus. L'opinion de ses sujets n'est que « caprices » (v. 1432) et ne peut déterminer les choix du souverain. Le pouvoir se fonde sur la force :

> « Ils (les Romains) adorent la main qui les tient enchaînés » (v. 1442).

Un pouvoir fort fait accepter toutes ses décisions (v. 1450 sqq.). L'usage de la force, la terreur qu'inspire le prince, sont, selon cette thèse, les seules garanties du pouvoir.

Un débat au XVIIe siècle

• *Machiavel.* Derrière le débat entre Burrhus et Narcisse, entre la vertu et la raison d'État, se profile Nicolas Machiavel (1469-1527), Italien de la Renaissance, penseur politique, auteur du *Prince* (1513). Cet ouvrage examine le jeu politique en dehors de toute conception morale, mettant à nu un système de rapports de force. Dissimulation, hypocrisie, revirements, meurtres sont élevés au rang de moyens de gouvernement. La raison d'État, l'intérêt du prince prime tout. Inutile de dire qu'un tel ouvrage, véritable brûlot, souleva de violentes oppositions. Il attaquait de front les préceptes de l'Église et la théorie selon laquelle le souverain, représentant de Dieu sur la terre, est tenu au strict respect des lois morales.

Un homme d'État, prince de l'Église, tel que le cardinal-duc de Richelieu, lisait pourtant *le Prince* et en appliquait les préceptes. Son successeur, le cardinal de Mazarin, en fit autant. Mais la pensée de Machiavel fut combattue et refoulée. Il fallait trouver un subterfuge pour exprimer ses idées sans encourir les foudres de l'Église. Les écrivains du XVIIe siècle eurent recours à un détour, celui de Tacite.

• *Tacite.* L'historien romain fait dans les *Annales* le récit de l'histoire de Rome, depuis la mort d'Auguste jusqu'à celle de Néron. Il met en lumière crimes et turpitudes. Tout en adoptant le ton du moraliste, il découvre crûment les rapports de force et les oppositions, le jeu du pouvoir et les violences qu'il entraîne. C'est à lui que Racine et d'autres auteurs du XVIIe siècle se réfèrent. Mais, à travers lui, ce qu'ils évoquent, c'est la pensée de Nicolas Machiavel : on ne gouverne pas avec des mains pures ; la puissance de l'État et celle du prince se fondent sur la force ; l'honnêteté, la franchise sont peut-être des vertus privées, elles n'en sont pas moins des erreurs politiques.

LE PESSIMISME POLITIQUE DANS *BRITANNICUS*

Une attitude nuancée

Qui l'emporte dans *Britannicus* ? Burrhus, le vieux soldat qui prêche la vertu ? Narcisse, l'affranchi qui se fait l'avocat du bon vouloir du prince ? Burrhus voit ses arguments balayés. Mais il tire les conclusions du crime qui vient de s'accomplir malgré lui. Narcisse a convaincu Néron. Mais il est châtié au dénouement et meurt de façon atroce. La pièce n'offre pas en apparence de choix tranché entre les deux thèses.

Revenons sur le châtiment de Narcisse. Il fait apparaître dans la vie politique un régulateur, le peuple. Le peuple écoute la plainte de Junie, la prend sous sa protection, la défend contre les atteintes de Narcisse (V, 8, v. 1739 sqq.). Un instant, il se soulève et empêche l'iniquité. Dénouement commode, dira-t-on, avec ce peuple qui joue le *deus ex machina,* mais qui n'implique pas moins une certaine foi dans une action régulatrice de la vie politique et du pouvoir absolu.

Racine et Corneille

La réponse nuancée qu'apporte *Britannicus* au problème de la morale et de la politique s'éclaire toutefois si on se réfère aux pièces de Corneille. Prenons *Cinna* qui traite de questions similaires. Lorsque l'empereur Auguste apprend qu'on cherche à l'assassiner parce qu'il a exercé son pouvoir de façon tyrannique, loin de sévir, par un puissant retour sur lui-même, il offre sa clémence aux conjurés. Il a compris l'importance, pour le souverain, de jouir de l'amour de ses sujets. Mieux, il constate l'échec de sa politique, jusque-là fondée sur l'usage de la force. La pièce tout entière est une réfutation des thèses de Machiavel. Et ce n'est là qu'un exemple dans le théâtre de Corneille, construit sur le dépassement de soi, la recherche d'une hauteur héroïque et l'exaltation de la générosité.

Dans *Britannicus*, le pouvoir, on l'a vu, est en lui-même une valeur. Il est menacé par des séditions — les menées d'Agrippine et de Britannicus. Le souverain défend sa souveraineté, mais ce n'est plus contre lui-même, contre son propre désir de vengeance, comme c'était en fait le cas dans *Cinna ;* il lutte contre des atteintes extérieures. L'optique est donc bien différente de celle de Corneille. Si les thèses de Machiavel ne sont pas ouvertement défendues, si leur porte-parole Narcisse est puni, elles ne sont pas non plus réfutées de façon convaincante. Cela suffit à montrer qu'il y a choix. Britannicus est noble, généreux, incapable de dissimulation : il meurt assassiné. L'hypocrite, le sournois Néron, qui ne recule pas devant le meurtre politique, l'emporte. Telle est la rude leçon de la pièce.

Cinna a été écrit en 1640, *Britannicus* en 1669. Entre ces deux dates a eu lieu la Fronde, soulèvement qui mit en péril le pouvoir royal, dressant tour à tour, de 1648 à 1652, le peuple, les nobles de très haut rang, les magistrats de Paris, contre la monarchie.

Quand Racine écrit *Britannicus*, Louis XIV ne cesse de renforcer un pouvoir qui a été menacé. La figure du souverain devient fondamentale ; les moyens qu'il a de défendre sa souveraineté ne peuvent être négligés — et les analyses de

Machiavel font partie de ces moyens. Le monde politique, c'est clair, n'est plus la sphère du généreux cornélien soucieux de se dépasser lui-même. C'est un monde dangereux, aux rapports de force impitoyables.

Pessimisme politique et jansénisme

Ce pessimisme politique, peut-être Racine le doit-il à son éducation janséniste[1]. Austères, hantés par l'idée du péché dans le monde, les jansénistes méprisaient l'ambition, les honneurs, l'ensemble des activités humaines qui détournent de Dieu et de la préoccupation du salut de l'âme.

La cour telle que *Britannicus* la dépeint est un lieu de perdition ; la politique telle que Néron la pratique est criminelle. Tout cela pourrait s'accorder avec un pessimisme qui porterait la trace d'une éducation janséniste.

FAMILLE ET POUVOIR

Même s'il s'inspire de Machiavel, le jeu politique, dans *Britannicus*, est trouble, sans rien du bon sens clair, de la rationalité cynique du *Prince*. Ce brouillage, ces menées sombres, ces actions sournoises, tout cela provient de l'imbrication de la vie publique et de la vie privée, de la famille et du pouvoir, présente dans la pièce.

Famille

Agrippine, Néron, Britannicus, mais aussi Junie, l'héroïne inventée, appartiennent à une même famille. Ils ont pour ancêtre commun l'empereur Auguste, fondateur de la dynastie. Liens du sang, liens du mariage, liens de l'adoption, tout les relie fortement[2].

Les personnages historiques, Britannicus et Néron, étaient cousins, frères par l'adoption, beaux-frères à cause du mariage de Néron avec Octavie (qui était la sœur de Britannicus, rappelons-le). Dans sa pièce, Racine insiste sur cette relation fraternelle. Quelques exemples : Néron lui-même dit « Britannicus mon frère » (II, 1, v. 364). « C'est votre

1. Sur le jansénisme, cf. ci-dessus, pp. 4-5.
2. Cf. ci-dessus, pp. 10 et 30.

frère » (III, 8, v. 1070), dit Junie à Néron, lorsque celui-ci fait saisir Britannicus par sa garde. Après le meurtre, Agrippine reproche à Néron d'avoir versé « le sang de (s)on frère » (V, 6, v. 1675).

Avec le personnage de Junie, les liens familiaux sont encore renforcés, avec de nouvelles imbrications, et ajoutent à la confusion de la vie privée et de la politique. Descendante d'Auguste, on l'a vu, elle aurait dû devenir la belle-sœur de Britannicus : son frère Silanus devait en effet épouser la sœur de Britannicus, mais les tractations d'Agrippine en faveur de Néron ont empêché le mariage.

La famille impériale était inextricable. Racine a choisi de la renforcer encore et d'insister sur les parentés qui rendent plus monstrueuse si c'était possible la lutte pour le pouvoir.

Luttes pour le pouvoir

Agrippine veut faire appel à l'armée si son fils persiste à refuser son influence : elle menace Néron d'une déposition, voire d'un assassinat. Cette mère qui menace est, elle aussi, menacée. A trois reprises, avec des mots voilés, Agrippine fait allusion à la prophétie qu'on lui a faite : elle mourra des coups de son fils.

Britannicus voudrait conquérir ce trône qui, croit-il, lui revenait de droit. Dès sa première apparition sur scène, il se déclare prêt à lancer une révolte pour abattre Néron (I, 4, v. 319 sqq.). Il ne lui manque que des partisans. Il évoque par la suite l'appui du Sénat à sa cause (III, 5, v. 904 sqq.). Lui aussi médite un fratricide.

C'est à l'intérieur de la famille, du fait de la mère, du fait du frère par adoption, que proviennent les menaces contre le pouvoir de Néron, contre sa vie même. Parce que la famille est famille impériale, les sentiments, amour, haine, rancune, prennent une tonalité politique. Intensément magnifiés, ils soulèvent des révoltes, mettent en jeu les corps du gouvernement et les légions, et peuvent déboucher sur des convulsions à la tête de l'État.

Inversement, comme l'empire est le domaine de la famille, la politique y devient plus trouble encore, les rapports de force se chargent de folie, le meurtre d'État s'appelle alors fratricide et matricide.

7 Liberté, fatalité, tragique

LIBERTÉ

La pièce propose plusieurs approches de la liberté qui s'incarne dans les différents personnages principaux. En fait, un seul de ces personnages parvient à maintenir envers et contre tout sa liberté : il s'agit de Junie.

Une liberté préservée

La liberté de *Junie* est signalée par une place à part dans la pièce. Elle est la seule qui n'appartienne pas au monde de la cour. Le fait est souligné à maintes reprises. Agrippine dit d'elle :

> « Elle qui, sans orgueil jusqu'alors élevée,
> N'aurait point vu Néron, s'il ne l'eût enlevée »
> (I, 2, v. 231-232).

Devant Narcisse, Néron évoque Junie « dans l'ombre enfermée », « seule, dans son palais » (II, 2, v. 415 et 423) et, mi-galant, mi-menaçant, il reproche à la jeune fille elle-même de lui avoir « caché (sa) présence » (II, 3, v. 540). Cette place particulière marque qu'elle échappe aux jeux du pouvoir et de l'ambition qui régissent les autres personnages.

Arrêtée, forcée d'agir à l'encontre de ce qu'elle sent, elle n'est jamais ni impressionnée ni tentée — pas même quand Néron lui offre sa main et lui fait miroiter l'empire. Elle n'est pas sensible à la « pompe impériale ». En dépit des pressions, elle parvient à dissiper les malentendus qui troublent sa relation à Britannicus (II, 6 ; III, 7). Elle trouve sa liberté dans la fidélité au passé. Si elle aime le jeune homme, c'est par obéissance aux vœux de l'empereur Claude. Cette obéissance, cette fidélité, cette acceptation de contraintes fondent ses refus face à Néron et lui permettent de garder, malgré un déploiement du pouvoir, sa liberté :

> « J'aime Britannicus. Je lui fus destinée
> Quand l'empire devait suivre son hyménée.
> Mais ces mêmes malheurs qui l'en ont écarté,
> Ses honneurs abolis, son palais déserté,
> La fuite d'une cour que sa chute a bannie,
> Sont autant de liens qui retiennent Junie »
> (II, 3, v. 643 sqq.),

explique-t-elle. Ces vœux d'autrui qui façonnent sa vie, ces « liens » qui lui viennent du passé et qu'elle accepte pleinement, font d'elle un être libre, que Néron, malgré son pouvoir et l'empire, ne peut ni séduire ni briser.

Elle avait su échapper au pouvoir de l'empereur en restant cachée dans son palais avant son enlèvement ; elle sait lui échapper à la fin de la pièce en se réfugiant dans un lieu que protège la religion, le temple des Vestales. Elle aimait Britannicus : Néron le fait mourir ; elle continuera d'aimer le jeune prince, de « lui conserver une foi toujours pure » (V, 8, v. 1736). Au pouvoir présent, elle oppose les valeurs du passé. A Néron qui règne et qui tue celui qu'elle aime, elle oppose la statue d'Auguste, l'empereur fondateur (V, 8).

Elle préserve sa liberté.

Une liberté introuvable

Rien de tel n'est possible pour *Britannicus*. Sa fidélité à son père, l'empereur Claude, est même un piège pour lui :

> « Mon père, il m'en souvient, m'assura de ton zèle.
> Seul de ses affranchis tu m'es toujours fidèle »
> (I, 4, v. 343-344),

dit-il à Narcisse qui, précisément, le trahit au profit de Néron. Il trouve dans le passé des promesses grandioses de pouvoir et d'empire qui se retournent contre lui. C'est parce qu'il est fils d'empereur, héritier doué d'une légitimité certaine, qu'il se trouve à présent prisonnier dans le palais impérial, voué à la mort.

Captif, et séduit par les attraits du pouvoir, s'efforçant de regagner l'empire, complotant, Britannicus ne peut être libre. Le détachement, l'abandon des rêves impériaux, seule issue qui lui resterait, lui sont interdits : Narcisse, à ses côtés, l'aiguillonne, l'alimente en informations qui le poussent à la révolte, qui l'amènent à chercher à bouleverser l'ordre existant, c'est-à-dire le pouvoir de Néron. Cette révolte, qui n'a pas le moyen de s'actualiser — Britannicus ne dispose pas d'informations fiables et se trouve placé constamment sous surveillance — l'empêche de trouver le chemin de sa liberté. Quand il semble y renoncer (V, 1), il est trop tard, il est déjà condamné.

Liberté et révolte

Les deux autres personnages principaux de la pièce cherchent leur liberté dans la révolte, chacun à sa façon et l'un contre l'autre.

Agrippine, la mère, a suscité des événements qui allaient à l'encontre du cours normal des choses. Pour s'approcher de l'empire, auquel elle n'avait pas droit, quoiqu'elle en fût proche, elle a bouleversé les règles : elle s'est fait épouser par son oncle, l'empereur Claude. Pour pousser son fils d'un premier lit sur le trône, elle a manigancé une adoption qui spoliait le fils légitime de l'empereur. Pour hâter la succession, elle n'a pas hésité à tuer Claude — la pièce le laisse entendre. Chacun de ces actes était une révolte contre l'ordre existant. Jamais Agrippine ne s'est soumise aux contraintes extérieures, lois de la cité interdisant l'inceste, loi morale interdisant le crime. Sa liberté était bouleversement de l'ordre.

Dans la pièce, c'est son fils, Néron, devenu empereur grâce à elle, qui incarne cet ordre. Ne pouvant plus le faire plier à ses désirs, elle parle en factieuse, menace de le renverser grâce à l'armée et de mettre Britannicus sur le trône ; elle se révolte contre cette puissance qu'elle a contribué à lui conférer.

Quant à *Néron*, qui, empereur, détient le pouvoir, il n'en est pas moins contraint par une série de liens qu'il refuse. Dès son arrivée sur scène, ou presque, il parle, évoquant sa mère Agrippine, d'une « dépendance » dont il doit « s'affranchir » (II, 2, v. 507). Il se dit enchaîné par « Tout : Octavie, Agrippine, Burrhus, / Sénèque, Rome entière et trois ans de vertus » (v. 461-462). Cette litanie de noms propres égrène le poids de son passé. Liens familiaux, respect moral, règles de la cité, Néron rêve d'une liberté qui serait le refus de tout cela, l'abolition de toute contrainte.

La pièce condamne la quête de Néron. Narcisse, qui la secondait, est tué. Et Néron n'obtient pas la liberté qu'il recherche. En ordonnant le meurtre de Britannicus, il voulait secouer le joug d'Agrippine. Il n'y est pas parvenu. Au sortir du banquet durant lequel a eu lieu l'assassinat, c'est à Agrippine qu'il se heurte et l'exclamation qui lui échappe : « Dieux ! » (V, 6, v. 1648) indique bien que ce fils n'est pas dégagé de l'emprise de sa mère. Lui qui voulait se libérer de tout, il se trouve enchaîné par le crime. Derrière l'assassinat de Britannicus se profile le matricide.

Liberté et choix

La liberté peut se trouver dans un choix raisonné, conscient, dans la décision arrêtée de prendre une voie plutôt qu'une autre. Pour montrer cette situation au théâtre, le dramaturge dispose d'un moyen : mettre son personnage en position de délibérer, de peser le pour et le contre, de parvenir à une décision.

Rien de tel dans *Britannicus.* Ni Britannicus, ni Agrippine, ni Néron se semblent faire de choix. Britannicus passe de la révolte contre l'ordre de Néron à une certaine acceptation (V, 1) en fonction des événements. Agrippine crie et menace ; elle avoue bientôt que les plans qu'elle ourdit sont autant de chimères et qu'elle n'a aucune chance de les mener à bien (IV, 2, v. 1258 sqq.). Un instant, Néron semble disposer de sa liberté lorsque, à la suite des demandes pressantes de Burrhus, il décide d'épargner Britannicus. Il rejette la fatalité du crime. Impression fallacieuse : Néron, encore et toujours, est tiraillé entre des désirs contradictoires. Séduit par l'un, convaincu par l'autre, il n'affirme pas sa liberté dans une décision.

Il est significatif que Néron décide le meurtre de Britannicus entre les actes III et IV : tenté par Narcisse, il se contente de dire :

> « Viens, Narcisse. Allons voir ce que nous devons faire »
> (IV, 4. v. 1480).

Une fois l'acte accompli, le personnage ne parvient pas à le justifier devant sa mère. Il le dissimule et le nie. Il est incapable de le revendiquer et d'en faire ainsi un acte de liberté. Il faut que Narcisse se substitue à lui pour le faire, mettant du cynisme politique là où Néron semble n'être que le jouet de son émotivité et de ses obsessions (V, 6).

FATALITÉ

Une fatalité intérieure

Dans *Britannicus*, le poids de l'hérédité, le jeu sans contrôle des passions créent une fatalité, une force qui mène les personnages malgré eux dans un enchaînement inéluctable.

L'hérédité de Néron, on le sait, est chargée. Burrhus, qui a éduqué Néron, parle de la « férocité » (III, 2, v. 801) de son élève. Cette hérédité, mentionnée dès les premiers vers (I, 1, v. 35 sqq.), pèse sur le personnage comme une fatalité.

Quand il se met à aimer Junie, cet amour prend la forme d'une obsession. Il est incapable de le contrôler. Burrhus a beau lui conseiller de dominer sa passion et forger à son attention une maxime qui rappelle les pièces de Corneille :

> « On n'aime point, Seigneur, si l'on ne veut aimer »,

Néron lui a répondu par avance que :

> « [...] le mal est sans remède.
> [...] Il faut que j'aime enfin (= en dépit de tout) »
> (III, 1, v. 790 et 776 sqq.).

L'empereur ne peut maîtriser ses sentiments.

Quant à Agrippine, l'ambition, la soif du pouvoir est chez elle une passion si forte et si contraignante qu'elle lui enlève toute lucidité. Enfermée dans sa logique, elle ne peut ni réfléchir ni prendre du recul : sa pensée tourne, obsessionnelle, autour des rebuffades qu'elle essuie et de la perte de sa puissance. Par son attitude, ses « cris », ses plaintes, elle s'aliène plus encore son fils. Allant au-devant des hostilités, elle précipite sa perte. A plusieurs reprises, Burrhus lui prodigue des conseils de modération :

> « D'une mère facile affectez l'indulgence » (I, 2, v. 272) ;
> « Mais calmez vos transports. (...)
> Les menaces, les cris le (= Néron) rendront plus farouche »
> (III, 3, v. 829 sqq.) ;
> « Défendez-vous, Madame, et ne l'accusez pas »
> (IV, 1, v. 1106).

Rien n'y fait : Agrippine ne l'entend pas. Elle est tout entière la proie de sa passion, véritable fatalité intérieure.

La fatalité extérieure

Un autre type de fatalité, qui n'est pas le résultat de leurs passions, apparaît dans le discours de certains personnages. Elle renvoie à des forces extérieures.

Junie, qui a perdu toute sa famille, qui s'est vue enlevée par l'empereur, puis sommée de renoncer à son amour pour Britannicus, ne peut croire, au dernier acte, à la soudaine amélioration de sa situation, à la réconciliation entre le jeune prince qu'elle aime et Néron. Alléguant une fatalité qui la poursuivrait, elle s'exclame :

> « [...] (J)e crains le malheur qui me suit »
> (V, 1, v. 1538).

Quant à l'avenir d'Agrippine – et particulièrement sa mort sur ordre de son fils –, il lui a été révélé par des devins. Le fait se trouve mentionné chez les historiens latins, mais le texte le souligne, quoique obscurément, en le rappelant par trois fois. Agrippine parle de « l'arrêt fatal » (III, 4, v. 893), « Des malheurs qui dès lors (= dès ce moment-là) (lui) furent annoncés » (IV, 2, v. 1281), « (du) coup qu'on (lui) a prédit » (V, 7, v. 1700).

En dépit de ce savoir douloureux, le personnage ne peut dévier de sa voie.

Fatalité et prédictions

Les prédictions de différents personnages tissent dans la pièce un réseau qui enserre Néron et son entourage.

Dès l'acte I, Agrippine a tout révélé, elle a démonté l'enchaînement des passions :

> « Tout ce que j'ai prédit n'est que trop assuré :
> Contre Britannicus Néron s'est déclaré ;
> L'impatient Néron cesse de se contraindre ;
> Las de se faire aimer, il veut se faire craindre.
> Britannicus le gêne, Albine ; et chaque jour
> Je sens que je deviens importune à mon tour »
> (I, 1, v. 9 sqq.).

Les événements de *Britannicus* sont annoncés : Néron va révéler sa véritable nature, se tourner contre Britannicus et se dresser contre sa mère.

Les prédictions vont au-delà de la pièce elle-même avec les imprécations qu'Agrippine lance à Néron après le meurtre de Britannicus :

> « Ta main a commencé par le sang de ton frère ;
> Je prévois que tes coups viendront jusqu'à ta mère.
> (...) Ta fureur, s'irritant soi-même dans son cours,
> D'un sang toujours nouveau marquera tous tes jours.
> Mais j'espère qu'enfin le Ciel, las de tes crimes,
> Ajoutera ta perte à tant d'autres victimes ;
> Qu'après t'être couvert de leur sang et du mien,
> Tu te verras forcé de répandre le tien » (V, 6, v. 1675 sqq.).

L'ensemble de ces prédictions contribue à l'impression de fatalité qui pèse sur l'action dans *Britannicus.*

Fatalité et Histoire

Britannicus, comme beaucoup de pièces de l'âge classique, emprunte son sujet à l'histoire romaine. L'épisode est même particulièrement connu. La mort de l'empereur Claude, les crimes d'Agrippine, les atrocités commises par Néron, les faits que la pièce évoque, spectateurs et lecteurs en savent le déroulement. Ils ne peuvent lire ou voir *Britannicus* sans percevoir l'Histoire en arrière-fond. Cette permanence renforce l'impression d'inéluctabilité. Déterminé comme il l'est par le Néron peint par Tacite et Suétone, le Néron de *Britannicus* est effectivement voué au crime. Car le texte joue d'un système d'échos. On vient de voir que ces prédictions vont au-delà de la tombée du rideau et évoquent le devenir historique des personnages. Mieux, certains passages ne se comprennent que par référence à l'Histoire. Ainsi, à la fin de la pièce, le Néron aux « regards égarés » (V, 8, v. 1758), en proie au désespoir, tenté par la mort, suscite l'image de l'empereur historique, acculé au suicide. Un va-et-vient s'effectue entre l'Histoire et le texte et accentue l'impression que la fatalité pèse sur les héros de la pièce.

TRAGIQUE

Tragique et fatalité sont intimement liés. Le tragique provient de la mise en évidence de la fatalité. Dans *Britannicus*, il repose sur une situation qui met les personnages dans un état de dépendance les uns par rapport aux autres et qui empêche qu'ils obtiennent satisfaction.

Néron, qui détient le pouvoir, aurait besoin, pour être heureux, que Junie lui appartienne — mais elle ne cesse de refuser ses avances. Agrippine, qui, plus que tout, convoite un pouvoir qu'elle a longtemps exercé, aurait besoin de l'appui de Néron. Mais celui-ci l'évite, lui échappe, et cherche à se débarrasser de l'emprise qu'elle conserve sur lui. Quant à Britannicus, pour épouser Junie sans encombre, pour retrouver l'héritage de l'empire qui lui revenait légitimement, à lui fils d'empereur, il a besoin de l'appui et du soutien d'Agrippine. Celle-ci, précisément, peut le lui promettre, mais ne peut réellement le lui donner. Sans cesse, elle l'assure de son soutien, mais quand vient le moment d'agir — ou du moins quand Britannicus, sur la foi des informations de Narcisse, croit ce moment venu —, elle se rétracte. A Britannicus qui lui annonce joyeusement :

> « La moitié du Sénat s'intéresse pour nous :
> Sylla, Pison, Plautus... »,

elle répond avec alarme :

> « Prince, que dites-vous ?
> Sylla, Pison, Plautus ! les chefs de la noblesse ! »
> (III, 5, v. 905 sqq.).

En dépit de ses déclarations, en dépit peut-être de sa volonté, elle demeure plus que tout liée à son fils et ne peut que faire défaut à Britannicus. Ainsi se dessine l'impasse tragique dans laquelle les personnages sont enfermés.

Résultat de cette impasse : le déroulement de la tragédie contribue à faire arriver le contraire de ce que les personnages espéraient obtenir. Toutes leurs actions, tous leurs efforts, toute leur lucidité parfois, n'ont servi de rien. Ils se retrouvent irrémédiablement frustrés. Au dénouement,

Néron perd Junie qui lui échappe en se réfugiant chez les Vestales et il est clair que le meurtre de Britannicus ne l'a pas libéré du pouvoir que sa mère conserve sur lui. Agrippine elle-même ne retrouvera jamais d'influence politique. Pis, chacune de ses menaces l'a éloignée davantage de ce but, contribuant à la mort de Britannicus qu'elle protégeait. A la fin de la pièce, elle se retrouve en danger, désormais menacée par la violence et la révolte de son fils. Quant à Britannicus, il est la victime.

Prince adolescent, prince captif retenu au palais impérial, sans défense au milieu de monstres, le personnage marche à sa mort sans rien comprendre. Il croit encore à une simple rivalité amoureuse entre lui-même et Néron au moment où sa perte est décidée. Naïf, confiant, il suit les conseils d'un homme qui le trahit. Lorsqu'il se rend au banquet durant lequel il va être assassiné, il est rempli de gaieté et persuadé qu'il va connaître le bonheur (V, 2). Son ignorance, son innocence, son aveuglement suscitent la pitié du spectateur qui sait, lui, depuis la dernière scène de l'acte IV, combien il est menacé. Autour de lui, de sa situation pitoyable et touchante, se cristallise le tragique. Avec Junie à ses côtés, il forme le jeune couple innocent et persécuté qui est la proie de la tragédie.

Pitié pour l'innocence, sentiment aigu de l'impasse dans laquelle sont enfermés les personnages, sens de l'inéluctable sont à la base du tragique dans *Britannicus.*

La poésie dans *Britannicus* 8

L'ÉVOCATION HISTORIQUE

L'évocation historique contribue à créer dans *Britannicus* un climat poétique fait de grandeur et de majesté. Certains mots suggèrent un décor. Ainsi le terme « palais », qui revient souvent, désignant le palais impérial ou celui de Junie ; le temple des Vestales, avec ce qu'il évoque de la tradition romaine[1] ; la statue en marbre d'Auguste au pied de laquelle Junie se jette à l'acte V. Rien de descriptif, on le voit, mais des termes qui, par leur répétition ou leur pouvoir d'évocation, créent un effet de majesté.

On retrouve la grandeur romaine à travers un réseau de noms propres : les empereurs Auguste et Tibère, le philosophe Sénèque, le grand général Germanicus, père d'Agrippine. Elle apparaît avec le fonctionnement des institutions évoqué dans la pièce : le Sénat, la noblesse, les deux consuls qui se sont rendus à l'aube chez l'empereur (I, 2). Il est fait maintes fois allusion à la puissance de l'armée, avec ses légions, ses soldats et leurs « aigles », c'est-à-dire leurs enseignes ; elle surgit à travers le terme « empire » enfin, avec ce qu'il indique de puissance, d'organisation et d'étendue. C'est cette grandeur qui est contenue dans une formule telle que « la cour, Rome et l'empire » (II, 3, v. 576), fondée sur un rythme ternaire qui souligne un élargissement progressif, ainsi que dans la reprise, quelques vers plus loin, d'« empire » (v. 651) par l'expression « Tout l'univers » (v. 651 et 653), plus majestueuse encore.

1. Cf. ci-dessus, p. 10.

La simplicité, la transparence des alexandrins ne doivent pas dissimuler l'utilisation concertée d'images, de figures de style, d'effets qui, par leur présence, concourent à la poésie dans *Britannicus*. L'étude des tournures qui rendent plus vive, plus éloquente l'expression de la pensée, c'est-à-dire l'étude de la rhétorique, tenait une place importante dans la formation dispensée dans les collèges au XVIIe siècle. Dans une tragédie, l'utilisation des figures de style allait de soi.

Première figure de style : le **chiasme :** c'est-à-dire un croisement de termes. Ainsi, dans la constatation d'Agrippine : « Je vois mes honneurs croître, et tomber mon crédit » (I, 1, v. 90), la structure symétrique du chiasme (nom, verbe, verbe, nom) contribue à souligner la contradiction entre l'apparence (« mes honneurs croître ») et la réalité (« tomber mon crédit »).

La **personnification,** qui est l'attribution à un être abstrait de la figure, des mouvements ou des sentiments d'une personne, est utilisée fréquemment. Dans le vers « Rome de ma faveur est trop préoccupée » (I, 2, v. 251), la Ville est personnifiée. Plus subtile, avec des effets de rythme, la personnification du pouvoir d'Agrippine dans les vers suivants :

> « [...] (L)e pouvoir d'Agrippine
> Vers sa chute, à grands pas, chaque jour s'achemine »
> (I, 1, v. 111-112).

Les trois compléments circonstanciels (lieu, manière, temps) marquent par leur rythme ternaire l'inéluctabilité du mouvement, tout en faisant attendre le verbe final (« s'achemine »), concourant à un effet saisissant.

Ailleurs, ce sera l'**anaphore** (répétition d'un mot en tête de membres de phrases) qui vient renforcer une accumulation. C'est le cas dans le discours de Narcisse, lorsqu'il rapporte des paroles prononcées, dit-il, à propos de Néron :

> « Il excelle à conduire un char dans la carrière,
> A disputer...
> A se donner...
> A venir prodiguer...
> A réciter... »
> (IV, 4, v. 1472 sqq.).

L'anaphore souligne la malignité de l'accusation.

Dans la remarque qu'Agrippine fait à Junie qui vient de pleurer :

> « Quelques pleurs répandus ont obscurci vos yeux.
> Puis-je savoir quel trouble a formé ce nuage ? »
> (V, 2, v. 1574-1575),

tout est **métaphore,** c'est-à-dire transfert de sens par substitution analogique. Le verbe « obscurcir » renvoie à l'analogie, fréquemment établie dans le langage galant, entre les yeux et les astres. Au vers suivant, la métaphore est filée, et les pleurs qui voilent les yeux sont le « nuage ».

Très importante dans la tragédie, est la **stichomythie,** par laquelle se répondent des répliques courtes, d'un ou deux alexandrins. Cet emploi, dans *Britannicus,* a presque valeur de citation. En effet, pour sa première pièce à sujet romain, Racine rencontre l'ombre gigantesque de Corneille, son prédécesseur, l'auteur d'*Horace,* de *Cinna,* de *Polyeucte.* Dans ces pièces résonnent des accents de bronze, une éloquence souvent fondée sur la stichomythie dans les scènes où s'opposent des personnages. Aussi le spectateur de *Britannicus,* au XVIIe siècle, s'attendait-il à ce que le jeune prince spolié et Néron se heurtent de la sorte, alexandrin contre alexandrin. C'est ce qui se produit à la scène 8 de l'acte III, alors que les deux personnages sont pour l'unique fois de la pièce face à face. La tension monte entre eux, et la stichomythie apparaît. Britannicus s'écrie :

> « Ainsi Néron commence à ne se plus forcer »,

et Néron lui répond :

> « Néron de vos discours commence à se lasser »
> (v. 1053-1054).

Leur dialogue continue de la sorte pendant quelques répliques vives. L'agressivité est à son comble, lorsque Néron donne l'ordre d'arrêter Britannicus.

Par deux fois apparaît dans la pièce une figure plus secrète, plus spécifiquement racinienne : il s'agit de l'évocation par un personnage d'une scène surgie de son passé ; scène décrite avec minutie, chargée de détails qui montrent à quel point elle est encore neuve et présente dans l'esprit de celui qui parle. Cette figure a nom **hypotypose.**

La première occurrence intervient dès l'acte I, scène 1. Agrippine se souvient du jour où Néron, pour la première fois, l'a écartée du siège impérial sur lequel elle allait prendre place. Douze vers durant (v. 99-110), elle se remémore la scène :

> « Ce jour, ce triste jour frappe encore ma mémoire,
> Où Néron fut lui-même ébloui de sa gloire... »

Tout lui revient avec précision : l'expression de Néron (« Laissa sur son visage éclater son dépit »), le pressentiment qu'elle eut à ce moment-là (« Mon cœur même en conçut un malheureux augure »), le geste de Néron, faussement respectueux (« Il m'écarta du trône où je m'allais placer »). Ces douze vers vont chercher dans le passé le moment où se scelle le conflit entre la mère et le fils, où se manifeste la rébellion du fils avec, déjà, les caractéristiques qui seront siennes au cours de l'action, la colère vite masquée par l'hypocrisie et le mensonge.

La deuxième occurrence se trouve au début de l'acte II : Néron revit le moment où est né son amour pour Junie, moment fort récent, datant de la nuit qui a précédé le début de l'action. Vingt-deux vers (II, 2, v. 385-406) décrivent l'arrivée de Junie dans le palais impérial, les soldats autour d'elle, sa beauté, l'obsession qui s'empare de Néron :

> « Excité d'un désir curieux,
> Cette nuit je l'ai vue arriver en ces lieux,
> Triste, levant au ciel ses yeux mouillés de larmes... »

Placés en début de vers, les deux adjectifs qui qualifient Junie, « Triste » (v. 387) et « Belle » (v. 389), se répondent. Dans la nuit que percent les flambeaux, Néron s'éprend de cette femme qu'il fait souffrir et qu'il contraint grâce à ses soldats. Tout s'arrête alors : « ravi » (v. 395) au sens fort, c'est-à-dire arraché à lui-même, Néron se trouve dans l'incapacité d'agir, dépourvu de parole (« ma voix s'est perdue », v. 396) et de mouvement (« Immobile », v. 397). Lorsqu'il est à nouveau seul, il connaît une nuit animée de fantasmes (« J'employais les soupirs, et même la menace », v. 404).

Les souvenirs de la mère et du fils se répondent. L'un, ému par une femme pour la première fois, va se rebeller plus que jamais ; l'autre revit dans la douleur le premier signe de sa disgrâce. La tragédie est ainsi nouée dans cette figure qu'est l'hypotypose. Mais, plus encore, dans ces deux moments, et tout particulièrement dans le second, ce qui naît, c'est la poésie. Il se produit comme une suspension de l'action qui est en même temps un moment fort, d'une grande intensité affective pour le personnage, doué d'une charge poétique pour le spectateur.

REGARDS ET POÉSIE

Le réseau le plus serré, le plus racinien aussi, qui crée une poésie particulière, est celui qui se constitue autour du regard. Les termes « voir », « yeux », « regard », apparaissent fréquemment dans *Britannicus.*

Le regard et le pouvoir

Regard et pouvoir sont liés dans la pièce. Il est significatif que celui qui est dépourvu de pouvoir tout au long de la pièce, le jeune prince Britannicus, soit accueilli par ces mots lors de sa première apparition sur scène :

> « [...] Quelle ardeur inquiète
> Parmi vos ennemis en aveugle vous jette ? »
> (I, 3, v. 287-288).

« En aveugle » : ainsi est définie l'attitude du jeune homme ; il ne verra ni ne comprendra les événements. Et lui qui ne *voit* pas, lui qui ne comprend pas, il délègue à un autre le soin de voir pour lui — et cet autre est Narcisse, qui le trahit... Il demande à l'affranchi de s'informer en ces termes : « Va donc voir... » (I, 4, v. 347), « Examine... » (v. 349), « observe » *(ibid.),* « Vois » (v. 350). Ne pas voir, dans *Britannicus,* c'est s'exposer à ne jamais avoir de pouvoir. Tel est le sort de Britannicus.

Parallèlement, échapper au regard, c'est échapper au pouvoir. S'il veut éviter la cruauté de Néron, Britannicus ne doit pas être vu de lui. Tour à tour Agrippine et Junie lui en donnent le conseil. Agrippine : « Vous, si vous m'en croyez, évitez ses regards » (III, 5, v. 926). Junie : « (C)achez-vous à ses yeux » (III, 7, v. 1017). Mais ces conseils, Britannicus ne peut les suivre, puisque, précisément, il est en permanence sous l'œil de Néron, surveillé qu'il est par Narcisse qui le trahit.

Junie, elle, échappe au regard de Néron. Comme le lui dit l'empereur, elle s'est toujours tenue « loin de (ses) yeux » (II, 3, v. 544). Il faut un enlèvement pour que Néron la voie. Elle tombe alors en son pouvoir, se trouve contrainte de mentir à Britannicus, de craindre pour la vie de celui qu'elle aime. Pour se libérer, pour rester elle-même, intègre, fidèle, il lui faut fuir. Quand elle se réfugie dans le temple de Vesta, elle échappe à tout jamais au regard de l'empereur ; « (...) sans mourir, elle est morte pour lui » (V, 8, v. 1722), comme le dit Albine, la confidente d'Agrippine. Elle ne peut plus subir les atteintes de son pouvoir.

Regarder, en effet, équivaut dans la pièce à prendre du pouvoir sur celui qu'on regarde. Quand Néron évoque l'emprise qu'a sa mère sur lui, il parle de son « œil enflammé » (II, 2, v. 485). Il avoue : « Éloigné de ses yeux, j'ordonne, je menace » (*ibid.*, v. 496). Il rappelle « le pouvoir / De ces yeux » (*ibid.*, v. 501-502). En quelques vers, ce fils revient plusieurs fois, comme pris dans une obsession, sur les yeux de sa mère. A la fin de la pièce, la vue de sa mère suffit à lui arracher une exclamation. Une notation scénique (et l'on sait combien elles sont rares dans le théâtre classique) l'indique : « Néron *(voyant Agrippine)* : « Dieux ! » (V, 6, v. 1648). Il est remarquable qu'à la suite de son entrevue avec elle (IV, 2), alors qu'il a décidé, contre son avis, la mort de Britannicus, il n'évoque pas la vue de sa mère, si contraignante, mais sa parole, bien moins efficace. Il dit alors à Burrhus : « Elle m'a fatigué de ce nom ennemi (= le nom de Britannicus) » (IV, 3, v. 1318). C'est que dans l'univers de *Britannicus* la parole compte bien moins que la vue.

Le regard de l'autre risquant à son tour de prendre de l'emprise, le véritable regard du pouvoir est un regard dissimulé. Néron se cache pour observer la rencontre entre Junie et Britannicus. Son regard, qu'on ne voit pas, fait de lui le maître de la scène : il empêche toute communication entre les deux amants (II, 6). Quant à Agrippine, elle rappelle le temps de sa gloire passée en ces termes : « Et que derrière un voile, invisible et présente, / J'étais de ce grand corps (= le Sénat) l'âme toute-puissante » (I, 1, v. 95-96). Elle aussi, pour diriger, pour gouverner, pour exercer le pouvoir, elle a regardé sans être vue.

Le regard et l'amour

Également lié au regard dans *Britannicus*, on trouve l'amour. C'est en regardant, en voyant le regard de l'autre, que l'on tombe amoureux dans la pièce. Toute la tirade dans laquelle Néron évoque sa rencontre avec Junie et la naissance de son amour s'organise en un va-et-vient entre le regard de celui qui voit et celui de la jeune fille regardée. Commençant par « je l'ai vue » (II, 2, v. 386), il évoque « ses yeux » (v. 387 et 394), c'est-à-dire les yeux de Junie, puis les siens : « mes yeux » (v. 401 et 406). Un regard, celui de Junie, s'échappe vers le ciel ; l'autre, celui de Néron, scrute, fasciné, et conserve l'image de la jeune fille bien après qu'elle a disparu.

Dans cette scène, l'amour qui naît ne sera pas partagé. Au regard de Néron ne répond pas celui de Junie qui regarde ailleurs. Recherchant cette réciprocité qui le fuit, Néron sollicite le regard de Junie. Il souhaite qu'elle aussi regarde ses yeux :

> « Lisez-vous dans mes yeux quelque triste présage ? »,

demande-t-il lorsqu'il la retrouve (II, 3, v. 528). Mais il n'obtiendra pas qu'elle lui rende ce regard amoureux dont il la couve. Ou plutôt il ne l'obtiendra que dans le discours de Narcisse, l'affranchi si habile à travestir le vrai pour le bénéfice de son maître.

En effet, dans une tirade qui est l'exact pendant de celle dans laquelle Néron raconte la naissance de son amour, Narcisse affirme à l'empereur que Junie l'aimera. Elle l'aimera dès qu'elle le verra de « ses yeux dessillés » (II, 2, v. 449), dès que Néron se montrera dans « l'éclat dont (il) brill(e) » (*ibid.*, v. 450). Narcisse offre à Néron une image de lui-même rayonnante, solaire, à laquelle Junie, lui assure-t-il, ne saurait résister : « Quand elle vous verra, de ce degré de gloire, /

Venir en soupirant avouer sa victoire (= que Junie a gagné le cœur de Néron), / (...) Commandez qu'on vous aime, et vous serez aimé » (*ibid.*, v. 455 sqq.). Bien sûr, la promesse de Narcisse n'est qu'une vaine flatterie. Aux yeux de Junie, des yeux lucides, véritablement « dessillés », Néron n'a rien de solaire, et la jeune fille reste fidèle à son amour pour Britannicus.

Quand l'amour est réciproque, regarder, c'est comprendre. En regardant les yeux de Junie, Britannicus perçoit son trouble. Il lui demande :

> « D'où vient qu'en m'écoutant, vos yeux, vos tristes yeux
> Avec de longs regards se tournent vers les cieux ? »
> (V, 1, v. 1501-1502).

Dans ces vers où « yeux » est répété avec l'amplification que lui confère l'adjectif « tristes », puis est repris par « regards », tandis que la rime les lie avec les « cieux », se manifeste une poésie faite de tendresse mêlée de tristesse, une tonalité élégiaque. Tout l'amour de ces deux jeunes gens voués à la souffrance et à la mort est contenu dans ce regard que le jeune homme porte sur la jeune fille.

C'est dans l'amour qu'éprouvent l'un pour l'autre Britannicus et Junie que l'on constate la puissance du regard. Grâce à lui, une communication vraie devrait pouvoir s'établir, en dépit de la tyrannie qui pèse. En effet, lorsque le malentendu se dissipe et que Britannicus comprend que Junie ne l'a repoussé que sur les ordres de Néron, il s'exclame :

> « Vos yeux auraient pu feindre et ne m'abuser pas.
> Ils pouvaient me nommer l'auteur de cet outrage »
> (III, 7, v. 994-995).

L'univers de *Britannicus* est animé de regards, regards d'amour, regards de domination. Ce rôle du regard, ces « yeux », ce verbe « voir » qui reviennent sans cesse, tout cela concourt à renforcer le huis clos de la tragédie, à donner au palais habité par Néron et sa mère une atmosphère étouffante, inquiétante, et à créer une poésie souvent marquée de cruauté et d'obsession.

Le classicisme de *Britannicus* 9

A l'époque de Racine, lorsqu'un auteur écrivait une pièce de théâtre, il devait se plier à des contraintes. Celles-ci, empruntées pour une part au philosophe de l'Antiquité grecque Aristote, n'ont cessé de se renforcer au cours du XVIIe siècle et ont été respectées pendant tout le XVIIIe siècle en dépit de quelques accrocs. Il a fallu la Révolution de 1789, puis, au XIXe siècle, le Romantisme, pour les mettre à mal. Il faut comprendre qu'elles formaient un ensemble visant, non à brider l'auteur, mais à assurer ce qui apparaissait alors comme la vraisemblance au théâtre.

C'est à l'intérieur de ces contraintes que s'est développé, sans effort apparent, le théâtre de Racine et, entre autres pièces, *Britannicus*.

UNITÉS DE TEMPS, DE LIEU ET D'ACTION

Parmi ces contraintes figure en bonne place la règle dite « des trois unités ».

L'unité de temps

Il fallait que la durée de l'action n'excède pas vingt-quatre heures. On souhaitait en effet que le déroulement de la pièce puisse mimer le déroulement de l'action réelle, en tenant compte du temps qui s'écoule entre chaque acte. Dans *Britannicus*, douze heures suffisent. La pièce commence au point du jour et s'achève alors que la nuit tombe.

Si l'action peut se dérouler si vite, c'est qu'elle se prépare depuis longtemps. Le conflit entre Agrippine et Néron existe à l'état latent depuis un certain temps déjà. Quand, dans la nuit qui précède le début de l'action, un fait nouveau intervient, l'enlèvement de Junie, la tragédie peut alors s'enclencher.

Plus important, ces douze heures que dure l'action s'enrichissent d'une véritable épaisseur. Les personnages évoquent souvent le passé. Agrippine fait part des crimes qui ont permis l'ascension de Néron et son accession à la tête de l'État (I, 1 ; IV, 2) : elle revoit la scène au cours de laquelle, pour la première fois, elle a vu son emprise combattue par son fils, quand il l'a empêchée de s'asseoir à ses côtés sur le siège impérial (I, 1). Néron lui-même raconte la nuit qui vient de se passer et sa découverte de l'amour (II, 2). Quant à Britannicus et Junie, ils évoquent le temps de Claude et le souvenir d'Auguste, fondateur de la dynastie. L'avenir est lui aussi présent à l'intérieur même de la pièce. Les prédictions d'Agrippine et de Burrhus le dévoilent : le meurtre de Britannicus sera suivi de bien d'autres crimes, et, du fait des ordres de Néron, Burrhus et Agrippine seront à leur tour assassinés.

L'unité de lieu

Un seul lieu donc pour cadre de toute la tragédie. Là encore, pour imiter la réalité, il s'agit de restreindre les mouvements des personnages à des mouvements crédibles dans le temps de l'action. « La scène est à Rome, dans une chambre du palais de Néron », peut-on lire au début de la tragédie. Il s'agit en fait d'une antichambre, d'un lieu de passage. Agrippine y attend devant la porte de Néron (I, 1). Junie y passe pour se rendre chez Octavie, la femme de l'empereur, et y rencontre Néron (II, 3).

Placé au seuil des appartements de Néron, ce lieu est tout marqué de sa puissance. Rien de ce qui s'y dit n'échappe à l'empereur. Présente ou non sur la scène, sa garde veille. Il suffit d'une décision de lui et les appartements se transforment en prison. A la fin de l'acte III, Néron ordonne l'arrestation de Britannicus, de Junie, puis d'Agrippine elle-même.

Lieu concret, cette antichambre fait référence au salon sur lequel donnent les appartements royaux dans les palais du

XVIIe siècle. Lieu abstrait également, lieu de théâtre, c'est l'endroit où tous se rencontrent, tous se heurtent, pour d'inexpiables conflits.

L'unité d'action

Les règles, au XVIIe siècle, interdisaient qu'on mêlât plusieurs intrigues. Or *Britannicus*, de l'aveu de Racine lui-même, semble avoir deux pôle d'intérêt : « (La) tragédie n'est pas moins la disgrâce d'Agrippine que la mort de Britannicus » *(Seconde Préface* de *Britannicus).* Mais la mort de Britannicus est le signe même de la disgrâce d'Agrippine. C'est parce qu'Agrippine soutient le jeune prince, a favorisé son alliance avec Junie, est allée jusqu'à menacer de le placer sur le trône, que Néron, excédé, ulcéré, craignant pour son pouvoir, décide de le faire mourir. Tuer Britannicus est le premier pas vers l'acte le plus criminel qui soit, celui que va commettre Néron par la suite : le meurtre de sa mère. C'est l'acte de naissance du « monstre », pour reprendre le terme que Racine a utilisé *(ibid.).*

L'action est donc bien unique, si l'on considère que la pièce traite un épisode de la lutte qui oppose la mère et le fils — et la composition même y invite. C'est Agrippine en effet qui, avec ses pressentiments, ses ressentiments, ouvre la pièce. C'est elle qui, en compagnie de Burrhus, lui donne sa conclusion. C'est Agrippine qui a joué et perdu, utilisant Britannicus comme un atout dans sa lutte contre son fils.

Un seul jour, une seule action, un seul lieu, *Britannicus* respecte les préceptes sans y perdre de sa richesse.

LES BIENSÉANCES

On appelle « bienséances » au XVIIe siècle un ensemble de règles qui garantissent que les pièces ne choquent pas le goût des spectateurs. Pour comprendre ces « bienséances », il faut se souvenir du rôle particulier des représentations théâtrales à cette époque. Le roi et la cour assistent à la tragédie et y cherchent un reflet d'eux-mêmes. Ils passent souvent commande pour des pièces. C'est dire si le théâtre est conditionné par la manière dont la société d'Ancien Régime se conçoit elle-même. D'une certaine manière, les règles des bienséances sont la transposition au théâtre de l'étiquette qui régit la cour et la société mondaine.

Le refus du mélange des genres

Au XVIIe siècle, une pièce doit appartenir au genre de la comédie ou à celui de la tragédie : elle ne peut ressortir des deux genres à la fois. On ne conçoit pas à l'époque une pièce dans laquelle l'action tragique, par exemple, cède parfois à des moments de détente burlesque — ce qui se produit, entre autres, dans les pièces de Shakespeare. L'appellation de « tragi-comédie » ne doit pas tromper : elle désigne seulement une forme théâtrale plus libre par rapport aux règles ; en aucun cas un mélange de comique et de tragique. C'est que l'action tragique, pour les hommes de l'Ancien Régime, est noble, réservée aux Grands, tandis que le comique appartient à la roture, et que haute noblesse et roture ne sont pas censées se mêler.

Le langage de la comédie peut inclure des parlers paysans, des modes d'être et de penser populaires. Le ton de la tragédie doit être constamment noble et relevé.

Naturellement, *Britannicus*, avec son action toute de tension tragique, sa langue soutenue, le vouvoiement des princes, celui des amants, les appellations constantes de « Madame » et de « Prince », quel que soit le degré d'intimité, respecte les impératifs fixés à la tragédie.

Le rang des personnages

Genre noble, la tragédie n'a pour héros que des personnages d'un rang élevé. Prince et princesse (Britannicus, Junie), impératrice douairière (Agrippine), empereur (Néron), général vénérable qui a été le précepteur de l'empereur (Burrhus), tous, dans *Britannicus*, répondent à cette exigence.

Avec une exception : Narcisse l'affranchi. De rang médiocre, il ne peut apparaître sur la scène de la tragédie que comme un confident. Mais loin de servir de faire-valoir aux princes, de sa position Narcisse trahit Britannicus et influence Néron. Mieux, comme un héros véritable, il meurt à la fin de la pièce. Cet écart par rapport aux bienséances lui confère une force et une originalité plus grandes encore.

Le refus de la mort sur scène

Par bienséance, les fonctions du corps sont éliminées de la tragédie ; elles ne sont pas représentées et on en parle rarement. Jamais les personnages ne dorment ou ne mangent sur scène. *A fortiori,* ils n'y meurent pas. Le spectateur ne peut assister à la mort des héros ; on la lui raconte : un personnage de rang secondaire s'avance et rapporte les événements tragiques ou sanglants qui ont eu lieu en coulisse.

Il y a deux récits de ce genre dans *Britannicus.* Le premier est effectué par Burrhus et rapporte la mort de Britannicus (V, 5, v. 1619-1646). Il respecte les sources que fournissent les historiens latins. Précepteur et non prince, touché par ce meurtre qui signifie l'échec de l'éducation qu'il a tenté de donner à Néron, Burrhus est parfaitement habilité à faire ce récit. Quant au deuxième récit, il se justifie également. L'impératrice douairière, Agrippine, ne peut, à cause de son rang et des bienséances, bondir hors du palais à la suite de Junie et de Néron, à la différence d'Albine, sa confidente. C'est à cette dernière qu'il revient de raconter à sa maîtresse la fuite de Junie chez les Vestales, la mort de Narcisse, le désespoir de Néron (V, 8, v. 1721-1764).

Le refus de l'action violente sur la scène n'empêche pas que soit présente, dans *Britannicus,* une brutalité extrême. Ainsi la mort de Narcisse est contée avec une précision cruelle, même si l'exagération (« de mille coups ») et les adjectifs placés avant le nom (« d'une profane main », « son infidèle sang ») lui confèrent une majesté qui la dissimule quelque peu au lecteur du XXe siècle.

Le refus de l'actualité

A la recherche d'un aspect intemporel, les auteurs se devaient au XVIIe siècle de trouver les sujets de leurs tragédies ailleurs que dans la France de l'époque. C'est pour cette raison que l'Antiquité grecque ou romaine fournit la base de nombreuses intrigues. *Britannicus,* dont le sujet provenait de l'historien latin Tacite et qui conte un épisode du règne de Néron, satisfait à cette exigence.

Refus de l'actualité, mais non des allusions à l'actualité toutefois. Les spectateurs, au XVIIe siècle, jouaient à repérer, ici et là, des allusions à la politique et aux événements du jour. Certains ont cru pouvoir établir des comparaisons entre Louis XIV et Néron. Il est toutefois peu problable que Racine ait souhaité une telle interprétation. Néron, meurtrier , débauché, ne pouvait être une représentation flatteuse du Roi-Soleil !

LA COMPOSITION

Les moments obligés de la tragédie

La tragédie devait comporter certains mouvements obligatoires : exposition, nœud de l'action, dénouement entre autres. *Britannicus*, naturellement, respecte ces obligations.

« Que dès les premiers vers l'action préparée / Sans peine du sujet aplanisse l'entrée », exige Boileau dans son *Art poétique* (1674). C'est le moment de l'**exposition**. Les personnages qui apparaissent sur la scène expliquent aux spectateurs les problèmes qui se posent et que la suite de la pièce devra résoudre. Dans *Britannicus*, durant les deux premières scènes, Agrippine se plaint à sa confidente, éclate en reproches devant Burrhus et met ainsi à nu le conflit qui l'oppose à son fils. Ces récriminations se justifient psychologiquement : l'enlèvement de Junie, fait nouveau, risque de bouleverser les données du conflit ; il est normal que l'impératrice, obsédée par le pouvoir, frustrée, exprime sa colère et ses peurs. Grâce à ses plaintes, les spectateurs sont informés de la situation.

Ensuite se noue l'action. C'est le **nœud**, c'est-à-dire la situation qui trouvera sa solution à la fin de la pièce. Au conflit entre Agrippine et son fils s'adjoint l'amour des jeunes gens, Britannicus et Junie. Un **obstacle** se dresse. Néron, qui a fait enlever Junie, s'est épris d'elle et veut lui imposer de l'aimer en retour. Jaloux de son rival, excédé du rôle que sa mère souhaite faire tenir au jeune prince, il prend la décision de le tuer. Surviennent alors les **péripéties** — tout l'acte IV. Britannicus va-t-il ou non mourir ? Il est tour à tour menacé et sauvé. Sauvé en apparence par Agrippine, il l'est réellement, un temps, par Burrhus. Finalement, Narcisse obtient sa condamnation.

Le **dénouement** met fin au **nœud,** comme son nom l'indique, et « tranche le fil de l'action », selon l'expression d'un écrivain du XVIIIe siècle. Dans *Britannicus,* ce dénouement s'effectue en deux temps. D'abord a lieu la **catastrophe,** l'empoisonnement de Britannicus, en plein banquet de prétendue réconciliation. Ensuite, l'**achèvement** rend compte de ce qu'il est advenu des autres personnages, avec la fuite de Junie chez les Vestales, la mort de Narcisse, le désespoir de Néron.

Un problème qui doit être exposé, puis dénoué, dans le sang s'il s'agit d'une tragédie, telles sont les exigences du théâtre au XVIIe siècle. Et *Britannicus* y satisfait. Mais la pièce joue également d'un certain nombre d'effets.

Effets de surprise

A l'acte I, Narcisse apparaît comme un confident traditionnel aux côtés de Britannicus. C'est à peine si le jeune prince insiste plus qu'il n'est d'usage sur la confiance qu'il place en cet affranchi que lui a recommandé son père. A l'acte II, effet de surprise : le spectateur apprend que Narcisse trahit Britannicus et instruit Néron de ses moindres pensées.

Effet de surprise encore. Agrippine ne cesse de clamer, trois actes durant, que, par dépit à l'égard de son fils qui la néglige, elle va donner l'empire à Britannicus. A l'acte IV, elle révèle à Néron qu'elle est bien consciente de l'inanité d'un tel projet. Mieux, elle semble attachée à Néron par d'autres liens que ceux de l'ambition : par un sentiment qui s'apparente à l'amour maternel.

Effet de surprise toujours. A la fin de l'acte III, Néron fait arrêter Junie, Britannicus et sa mère elle-même. A l'acte IV arrive, pour un entretien avec son fils, Agrippine, impérieuse et misérable tout à la fois. Et, surprise, Néron paraît capituler devant sa mère : il promet de se réconcilier avec le jeune prince. A la scène suivante (IV, 3), il révèle à Burrhus qu'il a menti. Tout au contraire, il a décidé de faire mourir Britannicus. Or, au cours de cette scène précisément, Burrhus parvient à lui arracher la décision d'une réconciliation véritable. Nouveau coup de théâtre à la scène 4 : Narcisse qui survient plaide en faveur de la mort et semble opérer à son tour un retournement de situation.

Effets d'attente

La pièce ménage également des effets d'attente. Il n'est question à l'acte I que de Néron. Tous s'entretiennent de lui et de ses actions, Agrippine, Burrhus, puis Britannicus. Le spectateur ne le voit apparaître qu'à l'acte II. Autre attente : celle des moments de confrontation. *Britannicus*, on l'a vu, repose sur un double conflit, celui qui oppose Néron à Britannicus, et, plus encore, celui qui met face à face Néron et Agrippine. Or Britannicus et Néron ne se rencontrent qu'à la fin de l'acte III, dans la scène 8. Quant à Agrippine, dès le lever de rideau, elle cherche à voir son fils. Pourtant les spectateurs ne les trouveront ensemble qu'à l'acte IV. Elle aura croisé Néron auparavant durant l'acte III (« Je me suis échappée, / Tandis qu'à l'(= Néron) arrêter sa mère est occupée », dit Junie, scène 7, v. 959-960), mais hors scène. Enfin, alors que la décision de Néron est prise en ce qui concerne Britannicus, une succession de scènes, au début de l'acte V, vient ménager l'attente du spectateur. Ce sont d'abord Britannicus qui exprime sa confiance en l'avenir et Junie ses pressentiments. Puis Agrippine se joint à eux et pousse le jeune homme à gagner le lieu du banquet sans savoir que le poison l'y attend.

A la scène suivante, aveuglée sur la réalité des faits, elle se réjouit de l'issue de la journée, croyant tout rétabli pour le mieux. Ce n'est qu'à la scène 4 qu'éclate la nouvelle de la mort de Britannicus.

Ainsi, tout en traitant d'une situation connue dans ses grandes lignes, puisqu'elle est fondée sur l'Histoire, *Britannicus* est construit de manière à retenir l'attention, à ménager, grâce à des surprises, ce qu'on appelait au XVIIe siècle des « suspensions » et qu'on nomme aujourd'hui *suspense*.

Quelques mises en scène de *Britannicus* 10

Il y a deux façons de monter une pièce au théâtre. Ou bien l'on fait fond sur un comédien qui interprétera le rôle principal ; ou bien l'initiative vient du metteur en scène qui, alors, prime tout — cette manière étant de tradition récente.

On le sait, Racine fut violemment combattu par les Romantiques au XIXe siècle, qui lui reprochaient d'incarner à merveille les contraintes d'un classicisme honni. Il dut sa survie au théâtre à des comédiennes, véritables « monstres sacrés ». Ainsi Rachel, tragédienne célèbre, imposa ses pièces en pleine vague romantique.

Au XXe siècle, deux *Britannicus* illustrent cette tradition du comédien « monstre sacré », autour duquel tout gravite. Le premier, **en 1952,** à la Comédie-Française, fut monté autour de Jean Marais, alors auréolé de ses triomphes dans les pièces et les films de Jean Cocteau. Un décor avec des colonnes suggérait la Rome antique, et les costumes séparaient les innocents des criminels : Junie et Britannicus (Renée Faure et René Alexandre) étaient en blanc ; Néron (Jean Marais) portait la pourpre face à Agrippine (Marie Bell). Le second, **en 1961,** toujours à la Comédie-Française, mis en scène par Michel Vitold, était construit autour de Robert Hirsch dans le rôle de Néron, avec une interprétation torturée, traversée de tics, paroxystique, dans la tradition du « numéro d'acteur », face à Annie Ducaux, grande tragédienne, qui jouait Agrippine. Ce Néron-là frôlait l'hystérie...

Dans les années soixante-dix, le metteur en scène s'est mis à dominer le théâtre. Une pléiade de jeunes gens, jouant sur le fait que les pièces classiques sont bien connues du public, choisit des mises en scène qui sont des prises de pouvoir sur le texte et constituent des « lectures » qui imposent un sens. Un peu avant, en 1968, tout jeune, encore inconnu, Michel Hermon monte un *Britannicus* où les acteurs , vêtus de collants blancs, interprètent le texte avec un jeu très physique. Ainsi l'on voit Agrippine faire passer Néron entre ses jambes pour montrer qu'elle est en train de le mettre au monde. Dans la deuxième moitié de la décennie soixante-dix, Daniel Mesguich crée un *Britannicus* hanté par le XXe siècle et ses problèmes, dans un décor de briques en ruine ; et Yves Gourvil, au même moment, effectue une recherche dans un esprit semblable.

En 1978, Jean-Pierre Miquel transpose au XXe siècle, dans des décors évoquant les régimes totalitaires, un *Britannicus* glacial, déclarant que la pièce est « une histoire de gangsters chez des gens bien élevés ». Jean-Claude Boutté joue un Néron impassible, tandis que le rôle d'Agrippine est tenu par Denise Gence et que ceux de Britannicus et de Junie le sont par Francis Huster et Ludmila Mikaël.

Un jeu subtil sur le temps est opéré par Gildas Bourdet en 1979 avec le Théâtre de la Salamandre. Costumes et décors évoquent l'Ancien Régime. Quant à la mise en scène, elle opte résolument pour un sens cohérent : *Britannicus* est le récit d'une prise de pouvoir. L'évolution des personnages apparaît nettement, et le jeu des comédiens est très sûr et homogène.

En 1981, au Théâtre national de Chaillot, Antoine Vitez monte un *Britannicus* dépouillé, sans décor ou presque, avec des comédiens vêtus de linge blanc, qui fait entendre les cris et les souffrances à nu dans le texte.

Claude Santelli en 1985 met en scène un *Britannicus* plus classique, avec des costumes chamarrés, et Françoise Fabian dans le rôle d'Agrippine.

Britannicus, l'une des pièces de Racine les plus jouées, suggère, on le voit, des mises en scène et des interprétations variées. Néron peut être hiératique et froid, ou bien convulsé de tics et hystérique. Le décor peut évoquer l'Antiquité, en styliser l'image jusqu'à la réduire à un peu de linge blanc, annoncer au contraire le siècle de Louis XIV, ou bien faire le choix d'un XXe siècle empreint de totalitarisme. Le texte peut être respecté, dit classiquement, avec les diérèses et le rythme propre à l'alexandrin, ou bien il peut être morcelé, haché par d'autres textes qui s'y introduisent, ou encore dit comme de la prose.

Mais la pièce de Racine supporte toutes les lectures, toutes les mises en scène ; et sans doute échappe-t-elle également à toutes, puisqu'elle les contient et les dépasse toutes.

Indications bibliographiques

Sur la vie de Jean Racine

- François Mauriac, *La vie de Jean Racine*, Paris, 1928, Plon. Racine, saint homme.
- Raymond Picard, *La carrière de Jean Racine*, Paris, 1956, Éd. Gallimard. Racine, soucieux de constituer sa fortune et d'affirmer sa position sociale.

Sur le siècle de Louis XIV

- Pierre Goubert, *Louis XIV et vingt millions de Français*, Paris, 1964, Le Livre de Poche, coll. « Pluriel ».
- Paul Bénichou, *Morales du Grand Siècle*, Paris, 1948, Éd. Gallimard, coll. « Idées ».

Sur la civilisation romaine

- Suétone, *Vie des douze Césars*. Plein de faits scandaleux. Rappelle la presse à sensation actuelle.
- Tacite, *Annales*. Les sources de Racine pour *Britannicus*.
- Jean-Claude Frédouille, *Dictionnaire de la civilisation romaine*, Paris, 1985, Éd. Larousse.

Sur le théâtre et la tragédie au XVIIe siècle

- Jacques Schérer, *La dramaturgie classique en France*, Paris, Éd. Nizet. Donne les éléments qui permettent de comprendre le fonctionnement des œuvres théâtrales au XVIIe siècle (conditions matérielles, impératifs de composition...).
- Jacques Truchet, *La tragédie classique en France*, Paris, 1975, Éd. des P.U.F. Très éclairant.

Sur le théâtre de Racine

- Roland Barthes, *Sur Racine*, Paris, 1960, Éd. du Seuil, coll. « Points ». Contestable, parfois. Brillant et passionnant, toujours.
- Philip Butler, *Classicisme et baroque dans l'œuvre de Racine*, Paris, 1959, Éd. Nizet. Néron et Narcisse, disciples de Machiavel. Une lecture instructive.
- Lucien Goldman, *Le Dieu caché*, Paris, 1965, Éd. Gallimard, coll. « Idées ». Une réflexion sur le jansénisme à l'œuvre dans le théâtre de Racine. Une lecture philosophique.
- Jean-Jacques Roubine, *Lectures de Racine*, Paris, 1971, Éd. A. Colin, coll. « U2 ». Racine et la critique à travers les âges.
- Jacques Schérer, *Racine et/ou la Cérémonie*, Paris, 1982, Éd. des P.U.F. Des analyses pénétrantes.
- Eleonore M. Zimmermann, *La liberté et le destin dans le théâtre de Jean Racine*, Stanford French and Italian Studies, 1982. Une question fondamentale.

Filmographie

La pièce ne fut portée à l'écran que pendant la période du cinéma muet.
En 1908, André Calmette réalisa un *Britannicus*, avec un scénario de Jules Lemaître d'après Racine. Mounet-Sully et Réjane, deux « monstres sacrés » du théâtre de l'époque, en étaient les interprètes.
Camille de Morlhon, en 1912, réalisa un *Britannicus* avec, pour interprètes, Jean Hervé, Romuald Joubé, Gabriel Signoret, Valentine Tessier et Sylvie[1].

1. Je remercie Jean-Claude Romer, d'Antenne 2, pour les informations précieuses qu'il m'a apportées.

Index des thèmes

Aubin Imprimeur
LIGUGÉ, POITIERS

Achevé d'imprimer en juillet 1995
N° d'édition 14777 / N° d'impression L 49623
Dépôt légal juillet 1995 / Imprimé en France